LA PORTE ÉTROITE

ANDRÉ GIDE

From the portrait by Sir William Rothenstein

Fr.

LA PORTE ÉTROITE

BY

ANDRÉ GIDE

EDITED BY

M. SHACKLETON M.A.

Professor of French
at the University of Cape Town

MODERN WORLD LITERATURE SERIES

HARRAP LONDON

The frontispiece portrait of André Gide
is reproduced by courtesy of the executors
of the late Sir William Rothenstein.

First published in Great Britain 1958
by HARRAP LIMITED
19-23 Ludgate Hill, London EC4M 7PD

Reprinted: 1961; 1963; 1964: 1966; 1968; 1970; 1972;
1973; 1974; 1976; 1977; 1979 (*twice*); 1981; 1982

First published in the French language by Mercure de France 1909

ISBN 0 245-52140-2

Printed and bound in Great Britain by
Robert Hartnoll Ltd. Bodmin, Cornwall

CONTENTS

INTRODUCTION

André Gide began his long career as a writer towards the end of the 1880's, when Symbolism was at its height; the closing paragraph of his last book, completed a few days before his death, dates from February 1951. Little known to the general public during the first half of his productive life, his writings won him fame and notoriety from the early 1920's onwards, and perhaps no French writer has ever aroused so much discussion during his own lifetime. There were many reasons for this besides his eminence as a stylist—the seduction of the individualist outlook expressed, for example, in *Les Nourritures terrestres*, his relentless attacks on all forms of cant, the provocative views of which he made himself the spokesman, the autobiographical interest and the unusual variety of his work.

The controversy which produced so many books and articles on Gide during his lifetime has naturally become less intense with the passing of the years: the views he put forward can no longer arouse the same violent passions. But as an author—as an artist capable of giving lasting expression to some of the essential problems of humanity—he must take his place among the greatest of the first half of the century. Of his French contemporaries, only Valéry, Claudel and Proust are of comparable stature, and all of these, despite their originality and the importance of the themes they treat, are narrower in range. Paradoxically, perhaps, Gide is the most personal of the four. His *Journal*, which covers the period from 1889 to 1949 and runs to nearly 2000 pages, tells us relatively little about his age or even about particular contemporaries. It is primarily a record of his own intellectual and spiritual development. In the volume of *mémoires* entitled *Si le Grain ne meurt* . . . (1926), he gives in detail the story of his life up to 1895, when, in his twenty-sixth year, he married his cousin Madeleine Rondeaux. His creative writings, too, though never narrowly personal, draw largely on his own intimate problems and conflicts, on the obscure forces he found at work within himself.

For this reason a knowledge of Gide's life and personal background is indispensable to a full appreciation of his literary works. Even his heredity and early environment must be taken into account, for he himself consistently traced the many-sidedness of his nature, and the diversity of his inclinations and interests, to his being " né d'un croisement de races, assis à un carrefour de religions." His father, who taught Law in the University of Paris, was born at Uzès, not far from Nîmes. His mother's family came from Normandy. Between the severe beauty of the Bas-Languedoc, with its sunbaked rocks and parched olives, and the softer outlines of Normandy, mellowed by cool woods and luxuriant grasses, Gide, who had known both from early childhood, never wished to choose and could not have chosen. Instead, the contrasts of temperament and character implied by these landscapes—the *finesse* and spontaneity of the South, the more reflective *bon sens* of the North—contributed to the complexity of his nature and of his work as a writer.

A similar opposition underlay his religious background. Gide's parents were both Protestants, and it was as a Protestant that he was brought up ; but his mother's family had been predominantly Catholic, and the Catholic influence was still felt in Gide's youth, for his uncle Henri Rondeaux, brought up as a Protestant, had reverted to Catholicism when still a young man. These conflicting influences left a permanent mark on Gide. Though he soon reacted against the rigour of his upbringing, he remained deeply interested in religious questions. His Protestant background seems to underlie his concern for sincerity, his passion for self-justification, and to a large extent his interest in moral questions ; in the strictly religious sphere his consistent repudiation of dogma and the independence of his thought are Protestant traits. In both *La Porte étroite* and *La Symphonie pastorale* Gide studies a specifically Protestant outlook that has many points in common with his own. Yet he was often haunted by what he regarded as the temptation to become a Catholic. Although he submitted to no orthodoxy, the Catholic Church seemed to have special claims. " Je ne puis reconnaître d'autre orthodoxie que l'orthodoxie romaine. . . 'Orthodoxie protestante,' ces mots n'ont pour moi aucun sens." The Catholic influence was continued throughout Gide's life, for many of his literary friends either were or became Catholics, and the tensions that resulted are reflected in several of his works.

However we interpret, in retrospect, these contradictory influences of race and religion, the important thing is that Gide was perennially conscious of them, and, indeed, deliberately cultivated them in the effort to enrich his personality. He believed that the *état de dialogue* which they produced was of the greatest value, and that " l'étincelle de la vie ne saurait jaillir qu'entre deux pôles contraires." In this effort to achieve the harmony and balance of opposing forces we may see—as Gide certainly saw—an essential manifestation of the spirit of France, within whose borders are reconciled divergent climates and temperaments, and to the making of whose history the most varied influences have contributed.

Gide was an only child, and the inevitable loneliness of his early years was accentuated by his father's death less than eleven years after André's birth in November 1869. His mother, imbued with high moral principles and a stern sense of duty, fostered to the best of her ability the development of his taste in music, painting and literature, and endeavoured to give him a sound moral training. But in so doing she imposed many prohibitions and restrictions which, producing in her son an increasing exasperation and preparing the way for later revolt, added to the conflicts of his adult life. Most of Gide's childhood pursuits were solitary; even his schooling at the École Alsacienne in Paris and the *lycée* at Montpellier was constantly interrupted for reasons of health or temperament and had to be supplemented by periods of private tuition. It is, therefore, hardly surprising that he should have developed into one of the most introspective, and one of the most independent, of all writers. Yet from the very fact of his solitude, and the early development of a feeling that he was fundamentally different from other children—he was convinced of his literary vocation from an early age—there arose a yearning for the society and sympathy of others. This may well explain a number of Gide's characteristics as a writer: his dislike of dogmatic statement and assertion; the anxiety and despondency he sometimes felt in the absence of a 'public' such as had existed in the seventeenth century, or in Goethe's Weimar; the importance he always attached, in spite of his independent attitude, to the opinions of other people; perhaps even, in some measure, his eventual adherence to the social ideal of Communism.

But the most important circumstance of Gide's early years was his growing love for his cousin Madeleine, whose quiet, serious and religious disposition served as a constant link with the past long after he had revolted against the moral restrictions imposed during his childhood and youth. "Elle était une direction de mon cœur," he wrote a few months after her death in 1938. It is certain that, but for the influence of her lifelong companionship, his works would have been unrecognizably different.

Towards the end of his years at school Gide conceived the idea of his first book, *Les Cahiers d'André Walter*, which was published in 1891. During the writing of this work he was still dominated by his Protestant background, with its tendency to stifle spontaneity and to narrow the scope of his activities; but he was beginning to acquire—partly through reading the Greek classics—a haunting awareness of the rich diversity of possibilities that life offers, and the resulting tension found expression in the *Cahiers*. At the same time Gide imagined his book not as the first of many, but as final, the quintessence of all he had thought or dreamed. And, indeed, *Les Cahiers d'André Walter*—into which he had transposed lengthy extracts from the diary he was already keeping—gives expression, through the hero André Walter, to the many religious, moral and literary problems by which Gide was beset. Above all it is an indirect profession of his love for his cousin, who is represented under the name of Emmanuèle.[1] Gide had hoped that this work would prove so compelling that his cousin could not fail to accept the proposal of marriage which he had resolved to make shortly after publication; and he anticipated considerable literary success. In both these expectations he was disappointed.

The main result was a change in Gide's attitude towards the public. Ceasing to expect immediate acclamation, he persuaded himself that the quality of a writer's admirers is more important than their number. Henceforth he would strive to endow his works with qualities which would give them enduring value, and, disdaining compliments that might seem in any way insincere, would confidently await ultimate recognition. This proud attitude, whilst it appealed to one side of his nature, was the cause of much discouragement during the next twenty years, and may well have reduced his output; but it certainly contributed to the artistic value of his writings.

[1] The same name serves in *Si le Grain ne meurt* . . .; in the *Journal*, Gide uses the punning abbreviation "Em."

For the moment, however, Gide had no more than a general idea of his life's work. He entered upon what he calls in his *Mémoires* " la période la plus confuse de ma vie... Période de dissipation, d'inquiétude." His school-friend Pierre Louÿs, himself an author, introduced him to the literary circles which revolved round Heredia and Mallarmé. Heredia was a representative of the Parnassian school of poetry which had reached its peak some twenty years earlier, and which, in reaction against Romantic lyricism, had stood for impersonality of approach and perfection of form; but he had a gift for the evocative use of words which links him with Mallarmé and the Symbolist school. During the two or three years that followed the publication of *Les Cahiers*—full of real promise despite unshapely execution—Gide was still imbued with a certain mysticism, and it was the Symbolist school that he found the more congenial. Though the Symbolists varied among themselves in their practice, they had a broad community of outlook. All were in reaction not only against the objective though often picturesque poetry of the Parnassians, but also against the Naturalism of the novels written by Zola and his contemporaries, whose aim was to present life, and particularly life in modern society, as it really was. But, in reacting against the Parnasse and Naturalism, the Symbolists went to the other extreme, enclosing themselves in a rarefied atmosphere of poetic *rêverie*, refusing to acknowledge any relationship between art and the social life of the community, and contenting themselves with an inevitably restricted public. Intimate emotions were the main field of their poetic endeavour; the external world seemed in itself crude and uninteresting. An ideal beauty existed in the poet's mind, and the phenomena of reality served merely as symbols for it, or as a source of imagery for poetic self-expression. Metre ceased to be considered essential in poetry; the Symbolists aspired instead to give their verses a musical quality which would enchant the reader and evoke in his mind the private dream-world of the poet.

The literary environment into which Gide was introduced by Pierre Louÿs was thus something of a closed circle, but Gide did not fully realize this at the time. He felt unsure of himself; the Symbolist tendency to retreat from the real world appealed to him and seemed to offer a possible mode of self-expression. He was particularly influenced by the Symbolist emphasis on musicality—even though, preferring Chopin or Schumann, he never shared the general enthusiasm for Wagner—and for some years he cultivated a rich and melodious style. Above all, he was attracted by the high artistic ideal pursued by the Symbolists, and especially by the example of Mallarmé, for whom only poetry counted, and who sacrificed all else to it. Throughout his career Gide retained a high sense of duty towards his vocation, and consistently refused to turn his art to utilitarian ends. Nevertheless, the works he produced in this period cannot be classed as wholly Symbolist. In them, side by side with the Symbolist *rêve*, we find more than a trace of the Protestant ideal of *moral* purity, and above all an increasing awareness, still theoretical perhaps, of the diversity and inexhaustible interest of life. In particular, *Le Voyage d'Urien* and *La Tentative amoureuse* (1893) reveal a restlessness that was soon to take him far beyond the confines of Symbolism.

In October 1893 Gide set out for Tunisia and Algeria with his friend Paul Laurens, a young painter. From the start his health showed signs of breaking down—tuberculosis was suspected—and it continued to deteriorate as the winter wore on. But with the spring came transformation. Under the influence of the elemental Algerian landscape and the hot sun, the bright colours and the fresh scents of spring, Gide entered upon a period of convalescence that was more than a mere recovery from illness: it seemed to him like a rebirth.

The closed worlds of Protestantism and Symbolism seemed suddenly to burst open. For the first time he awoke to the wonder that lay outside them, to the delights of sounds, scents and colours. All the doubts and perplexities of the past seemed to fade away before the splendour he experienced through the senses.

He returned to Paris with " un secret de ressuscité," a new awareness and a new outlook which met with little understanding among his friends and relatives. To complete his convalescence he spent the last three months of 1894 at La Brévine in the Swiss Jura ; here he completed *Paludes*, the first of his writings to show true maturity. This little work, sparkling despite the bitterness of its inspiration, marks a definite break with the Symbolist school, and gives expression, in ironic terms, to the disillusion that Gide had experienced on finding that his new ' message ' fell on deaf ears. Early in 1895 he returned to North Africa and for many years continued to make regular visits, renewing the vital inspiration of his first stay at Biskra.

It was in 1895 that Gide's mother died and that he married his cousin. Thus was intensified and perpetuated an influence which, conflicting in many ways with the new values he had discovered in Africa, was to prove decisive for his literary production.

From 1894 to 1897 Gide gradually composed *Les Nourritures terrestres*, which embodies, in persuasive and lyrical prose, the outlook he had brought back from Africa. It presents a large variety of poetic evocations, mainly of Algeria, but also of the " pluvieuse terre de Normandie." At the same time it enjoins the reader, who is addressed as Nathanaël, to free himself from habit and convention and to find a new and deeper fulfilment in the freshness and joy of life. He is to live in the present, committing himself neither to the past nor to the future, which offer only second-hand living ; to remain *disponible*, ready to follow the call of whatever may seem right for him to do; to maintain in himself a state of *ferveur*, of wonder and gratitude for the glory of the world and his participation in it, and a *disposition à l'accueil* which will allow access to the countless influences and stimuli waiting to enrich his being. Perhaps the essence of the work is contained in the words: "Ne *demeure* jamais, Nathanaël." It is a doctrine of liberation and independence, accompanied by a conviction that each individual has a destiny of his own which it is his duty to seek and accomplish. *Les Nourritures terrestres*, "livre d'une folie très méditée" as Gide says, deliberately goes to excess. It expresses only one pole of his outlook. But it is of the greatest importance, for hardly any of his works from this point on can be fully understood except in the light of this key-work. In it Gide, in violent reaction against his past environment, sets out a demand for complete freedom from every kind of restriction and obligation. But that is only the starting-point, and there are clear indications, even in the work itself, that he was well aware of the dangers and difficulties of this outlook. His subsequent works make these more explicit and elaborate the attractions of other ideals; it is as though Gide had set himself, for his life's work, to criticize this initial excess and put it into final perspective. No sooner had he completed *Les Nourritures terrestres* than he was busy with *Saül*, written, he says, as an 'antidote' to its predecessor. In this impressive and well-constructed drama, based on the narrative of I Samuel, the hero, King Saul, is led to moral disintegration and practical disaster by an excessive *disposition à l'accueil.*

We have implied that the problem of freedom dominates Gide's work and gives it unity, but this simplification, true so far as it goes, must not blind us to the wealth of interests he cultivated, many of which are only related to the problem of freedom by a very tenuous thread. In the literary field, at least, Gide never disobeyed his own injunction : " Ne *demeure* jamais." His interests widen and deepen as time goes on. Each work contributes something new and individual, depending on what precedes, yet often in reaction against it, or bringing out new aspects of earlier preoccupations. An example of this is the problem of *l'acte gratuit*, which is closely related to the outlook of *Les Nourritures terrestres* and yet has a quite independent interest. This problem—that of the possibility and permissibility of perfectly free action, unrelated to external influences such as personal interest, habit, or morality, and based on the unrestricted *accueil* of ideas—is enunciated in *Le Prométhée mal enchaîné* (1899), criticized in *Le Roi Candaule* (1901), and taken up again on a larger scale in *Les Caves du Vatican* (1914), a complicated work in which the hero Lafcadio accepts no law but that of his own being. Gide's interest in this problem led him far from the hedonistic lyricism of *Les Nourritures terrestres*, filling him with a deep concern to understand the workings of the mind and the motives that underlie human conduct.

Meanwhile with *L'Immoraliste* (1902), Gide opened the series of short, simple and intimate novels which he called *récits* and in which he gives artistic expression to the personal tensions and conflicts that characterized the first twenty-five years of his marriage. These *récits*, which include *La Porte étroite* (1909) and *La Symphonie pastorale* (1919), are among the masterpieces of twentieth-century French literature.

L'Immoraliste, like the play *Saül*, portrays the tragedy of one who yields too easily to the call of liberty and independence, but this time the story and setting, as well as the theme, reflect Gide's own experience. When the hero, Michel, travels in North Africa, he finds there, as Gide had done, a new creed and a new life, which he feels all the more intensely as it accompanies a convalescence. Unlike Gide, Michel had already married ; his wife Marceline tends him with devotion and, to the best of her ability, nurses him back to health. When his wife in turn falls ill Michel, impelled without fully realizing it by his own desires, tries to cure her by travel. He is too absorbed in his new personality to see that such drastic measures, suitable for him, are disastrous to her; in the end she succumbs and dies.

Like most of the other *récits*, *L'Immoraliste* is thus a critical study of a moral attitude derived from Gide's own experience. There is no mistaking the affinity between Michel's philosophy and at any rate one aspect of Gide's own. But the fervent and compelling individualism of *Les Nourritures terrestres* degenerates with Michel into irresponsible self-indulgence. Gide does not altogether condemn Michel, still less Michel's individualism; he sincerely felt much of what Michel feels. But this sincerity of feeling is controlled and tempered by another sincerity—what Gide calls a sincerity of vision—that puts his experience into a final moral and artistic perspective in which sympathy and criticism go together. We shall find a similar quality in *La Porte étroite*, which explores with even subtler irony an opposite tendency of Gide's being. The path of sacrifice and renunciation, associated with the religious background now chiefly represented by his wife, proves to be as perilous and uncertain as the path trodden by Michel. But Gide is not prepared to reject either of them. Characteristically, he prefers to let them balance and offset each other. "Les deux sujets," he says, "ont grandi concurremment dans mon esprit, l'excès de l'un trouvant dans l'excès de l'autre une permission secrète, et tous deux se maintenant en équilibre."

The effort to achieve this balance is clearly shown in *Le Retour de l'Enfant prodigue* (1907), a short and artistically perfect sequence of prose dialogues in which, Gide says, "je tâche à mettre en dialogue les réticences et les élans de mon esprit"; on the one hand travel, nomadism, independeece, on the other home, a settled existence, and responsibility to others. Particularly during these years between 1900 and 1914, he was constantly undertaking long journeys, often solitary, and equally constantly returning to his wife at Cuverville, in Normandy. Of his life at Cuverville many friends have spoken with admiration, and indeed the *Journal* itself makes clear the extent to which he entered into the life of his home and surroundings, taking a keen interest in horticulture and botany, unstintingly devoting his many gifts to the entertainment and amusement of his friends and young relatives, never losing sight of " le mystique orient de ma vie," his devotion to his wife. But wherever he was, his heart, eager for change and fearful of stagnation, ultimately called him elsewhere. His travels were a reaction against his home ; *Les Caves du Vatican*, carefree and almost irresponsible, compensated for the deep seriousness of *La Porte étroite*.

The First World War, restricting movement and imposing inescapable moral obligations, abruptly altered Gide's way of life. He threw himself whole-heartedly into relief work and other practical activities, and at first found little time for writing. As the war dragged on his thoughts inclined once again towards religion. Some of the fruits of his meditations are recorded in *Numquid et Tu . . . ?*, a series of notes written between 1916 and 1919, and first published under Gide's name in 1926.[1] In these notes Gide applies the experience he had gained since his early youth to a new interpretation of the Gospels, which are seen, not as a manual of rules and restrictions, but as proclaiming a richer and freer life. Such an approach has its dangers : it is only too easy to support an interpretation which happens to suit one's inclinations and to close one's eyes unconsciously to all that gainsays it. It was partly to bring these dangers to light that he wrote one

[1] Subsequently incorporated in the *Journal 1889-1939* (Bibliothèque de la Pléiade, Gallimard).

of his most accomplished works, *La Symphonie pastorale*. From a different point of view, this *récit* gives fresh expression to the personal conflicts Gide had known since the time of *Les Nourritures terrestres* and his marriage in 1895.

After the war, however, the character of his work changed considerably. The cessation of hostilities brought about a general relaxation of tension, and, particularly among the younger generation, a reaction against all forms of restriction. Those of Gide's works which seemed to proclaim independence, liberty and irresponsibility—notably *Les Caves du Vatican*—were now widely read and discussed. His 'influence' quickly became a subject of controversy and, from some quarters, of active hostility. Gide himself reaffirmed his independent position, still more boldly and on a wider front, in a course of lectures on Dostoevsky delivered in 1922, and, as a gesture of sincerity and self-justification, published his *Mémoires* in 1926. Meanwhile he had been working on *Les Faux-Monnayeurs*, completed in 1925. Just as the post-war years had brought an expansion of Gide's influence and of his concern to explain his position in greater detail, so this elaborate work, the first he called a *roman*, represents an expansion from the artistic point of view. In place of the simple and intimate *récits*, of which *La Symphonie pastorale* had been the last, we find a complicated and ingeniously constructed novel that covers a wide field of experience, and at the same time attempts to show the relation between fiction and reality.

Almost immediately after completing this work, Gide set out on a semi-official mission to French Equatorial Africa. He went with a light heart, looking forward above all to new experiences in a new setting; but he returned the following year full of concern and indignation over the many abuses he had found there, particularly the inhuman exploitation of certain sections of the native populations.

Gide had hitherto paid comparatively little attention to politics or to social (as distinct from moral and psychological) questions, although *Souvenirs de la Cour d'Assises* (1914) had testified to his interest in the criminal cases he had had to consider as a juryman. In the years that followed his return from Central Africa the social problem haunted him increasingly. His report to the responsible authorities elicited a promise of early reforms in the colonial territories he had visited. The facts on which his criticisms were based, together with many delightful pictures of native and wild life, are presented in *Voyage au Congo* and *Le Retour du Tchad*, which embody the diary of his travels. About this time, too, Gide became more deeply concerned with the possible social applications of his interest in psychology, particularly in the field of crime. The *Souvenirs de la Cour d'Assises* had been confined to his own experience in court; now he gave wide publicity to a considerable range of exceptional cases, mostly compiled from newspaper reports. Some of these he published in book form, others in the *Nouvelle Revue Française*, for the founding of which in 1909 he had been largely responsible. His main purpose in drawing attention to these *faits-divers* was to encourage research into cases that seemed to lie outside the scope of traditional psychology and to suggest the need for new principles and methods in the administration of justice.

Gradually Gide's social outlook widened. In 1929 he published *L'École des Femmes* and *Robert* which, with the later *Geneviève*, form a trilogy of *récits* in which the main interest is the social problem of feminine emancipation, studied in two generations. Gide's next work, *Œdipe* (1931) marks a further step forward. This play, in which the Œdipus legend is treated with great skill in a very original manner, is rich in implications, and it is impossible to ascribe to it any single and exclusive 'meaning.' It is in no sense a propagandist play, but from one point of view it does seem to indicate Gide's growing apprehension that the privileges of the social class to which he belonged were, like Œdipus' power, immoral in their origin and no longer defensible. Whether or not this interpretation is justified, the play suggests strongly the paramount importance of human progress, and the need to make sacrifices in its service. In this same year 1931 Gide announced his adherence to Communism, and though he never became a member of the Communist Party, he continued for the next five years to lend his support to the Communist struggle for power. This conversion did not mark in Gide a total renunciation of the individualist values he had cherished; on the contrary, it seemed to him that Communism, once established, would offer the mass of the people more real freedom and greater opportunity for individual development than were permitted by the social conditions obtaining in capitalist countries.

During this period Gide published *Les nouvelles Nourritures* (1935) a volume composed on similar lines to *Les Nourritures terrestres*. Some sections of this book had been written many years before, but the remainder are characteristic of Gide's new outlook, emphasizing the importance of the future rather than of the present, and proclaiming his faith in human perfectibility. The writing of *Geneviève* (1936) and *Robert ou l'Intérêt général*, a play which he did not publish until 1944, also occupied Gide during these years of Communist enthusiasm. Both were originally intended as propagandist works, and considerable sections were written with this intention in mind. But neither satisfied the artist in Gide. He destroyed most of what he had written for *Geneviève*, and the *récit* published in 1936 is unencumbered with propaganda, an appropriate sequel to *L'École des Femmes* and *Robert*. As for *Robert ou l'Intérêt général*, originally written as a social satire, Gide subsequently devoted years to removing the tendentious elements, and the play as ultimately published and performed was meant to be no more than a *comédie de caractère*. Even during his Communist period, then, Gide could not bring himself to publish creative works intended to further an immediate cause. The requirements of propaganda always proved in the end to be incompatible with his artistic ideal.

It was in 1936 that Gide went to Russia as a member of a small party of Communist sympathizers to be entertained by the Soviet Government. There he saw the reality of Russian Communism and was swiftly disillusioned. Back in France he wrote *Retour de l'U.R.S.S.* and then *Retouches à mon Retour de l'U.R.S.S.*, in which he recounts his experiences and with increasing severity criticizes what he saw as the betrayal by the U.S.S.R. of the Communist ideal.

Even this disillusionment, followed two years later by his wife's death, did not bring Gide's work to an end. His subsequent publications include a number of valuable pieces of literary criticism, among them an *Anthologie de la Poésie française* (1949), a book of personal reflections published posthumously under the title *Ainsi soit-il ou les Jeux sont faits* (1952), and a new work *Thésée* (1946). This *récit*, more reflective than any of the preceding works, reaffirms Gide's belief in individualism and freedom, but indicates that these must be tempered by a respect for tradition and the maintenance of continuity.

In this final period, which ended with his death on February 19, 1951, Gide seems to have attained not merely balance, but serenity. He did so not through submission to convention, whether religious, moral, or literary, but through personal thought and effort. It is the spirit of independence, integrated by a deep sense of responsibility, that dominates Gide's life and works. His uncompromising attitude was not maintained without cost; he never, for example, became a member of the Académie Française. It was only in 1947 that he received his first important honours, both of them from abroad—the award of the Nobel Prize for Literature, and the conferment by Oxford University of the Honorary Degree of Doctor of Letters. But in Gide's eyes fame and recognition, though by no means to be despised, always came second to sincerity and the right to think freely.

* * *

Among Gide's many and varied writings a distinguished place is occupied by the group of short psychological novels or *récits* which includes *L'Immoraliste*, *La Porte étroite* and *La Symphonie pastorale*. These three, with *Isabelle* (1911), a *récit* less personal in inspiration than the others, continue the great French tradition of the *roman de l'individu* represented by such masterpieces as *Manon Lescaut* and *Carmen*. Taken together, the *récits*, deeply rooted as they are in Gide's own problems and conflicts, reflect personal tensions of remarkable complexity; nevertheless, few twentieth-century novels may more fitly be described as classical, either in the universality of their implications or in their simplicity and perfection of form.

The subject of *La Porte étroite*, or some aspects of it, had occupied Gide ever since the time of *André Walter*, when he had envisaged a narrative based on the death of Anna Shackleton, his mother's companion and friend, which was to have been entitled *L'Essai de bien mourir*. Somewhat later, in 1894, a new title, *Mort de Mlle Claire*, appears in his diary after the revealing entry: "Possibilité de détresse: l'âme qui croit avoir mal adoré." On the other hand Gide tells us that *La Porte étroite* was conceived at the same time as *L'Immoraliste* and that the two subjects are to be regarded as complementary; and a third provisional title, *La Route étroite*, mentioned in the *Journal* of 1905, seems to reflect this new orientation. At all events it is clear that *La Porte étroite* derives from more than one source of inspiration, and this may partly account for the difficulties Gide experienced in writing it. The actual work of composition occupied more than three years, and the *Journal* from 1905 to 1908 includes many references to the arduousness of the task he had set himself. Perhaps, too, Gide felt somewhat discouraged by the lack of recognition so far accorded to his works; and then again, he was often exasperated by the 'tons rompus' and the 'nuances fuyantes' of this book which seemed to him, even before he had finished it, to be "en anachronisme avec ce que nous pensons, sentons et voulons aujourd'hui." Yet, as he himself adds immediately after this remark, an inner compulsion obliged him to continue: *La Porte étroite* not only represented an essential aspect of himself, it was a debt he owed to the past, to the religious atmosphere of his childhood, to the inspiration of his cousin Madeleine.

At the beginning of the narrative proper, Jérôme, who recounts the story, is fourteen, his cousin Alissa two years older. Alissa's younger sister Juliette attracts him as a playmate by her carefree attitude and her gaiety; but a deeper bond is already growing up between him and the more reserved and serious-minded Alissa. Returning one day unexpectedly to his uncle's town-house at Le Havre, he sees, as he passes an open door, his aunt Lucile flirting with a handsome young officer; when he reaches Alissa's room he finds her in prayer and greatly distressed. This experience, closely modelled on Gide's own as recounted in *Si le Grain ne meurt* . . ., marks an epoch in Jérôme's life: henceforth his devotion to Alissa appears as a sacred mission. A few days later Lucile abandons her home and family altogether, and the following Sunday the vicar, whose ward she had been before her marriage, delivers a sermon on the text: "Strive to enter in at the strait gate. . ." Jérôme leaves the service still more determined to devote his whole life to his cousin and to be truly worthy of becoming her husband. But the impact on Alissa is even more severe. Her mother's infidelity seems to have aroused in her not merely the resolution to avoid her example, but a deep need of expiation. As the story proceeds, the call of the strait gate leads her ever further along a solitary path of self-sacrifice and renunciation which Jérôme is less and less able to understand. When the time comes, though she loves him, she finds a succession of pretexts for refusing to become engaged. Later, discovering that Juliette is herself in love with Jérôme, she stands aside for her; uselessly, however, for Juliette, rebuffed by Jérôme, marries another man, and what is more seems to settle down happily almost from the start. But Alissa, only spurred on by this rejection of her sacrifice, follows her chosen path more relentlessly than ever. From now on her life is one of uncompromising austerity and privation. Two cannot enter in together at the strait gate. Stifling her love for Jérôme, wilfully undermining his for her, she wastes away and dies, pathetically alone, in the nursing-home where she has taken refuge.

La Porte étroite is perhaps the most moving of all Gide's works and he himself wrote later on that he could never pick it up " sans une émotion indicible." Writing to Paul Claudel, the great Catholic poet, who had sent him a letter of appreciation and criticism of the work shortly after its publication, his first comment was to say how pleased he was that Claudel had recognized the " émotion pure et religieuse " that it breathes. " J'aurai fait suffisamment," he added, " si j'amène quelqu'un comme vous à plaindre et à aimer—d'un amour qui comporte un peu d'admiration—mon Alissa. C'est le portrait de cette âme de femme que j'ai tenté de faire, simplement; d'une âme dont je m'étais épris pour les mêmes raisons qui vous font l'aimer, vous aussi, et la plaindre." It is in fact impossible to read *La Porte étroite* without sensing and sharing the depth of feeling that Gide put into his picture of Alissa. Her gentleness, the radiance of her spiritual personality, her courage and her sacrifice, command our affection, admiration, and pity. Yet Gide does not propose Alissa as an example to be followed. " Vous sentirez bien," he wrote to Claudel two days after completing the work, " que l'idée même du livre porte en soi sa critique." His portrait of Alissa, particularly as she appears in the diary which follows Jérôme's account of their relationship, is studded with subtle ironies. Pride, even a touch of coquetry, qualify and in part motivate her spiritual aspiration; her path is fraught with misgivings, even with a secret hope that Jérôme may somehow rescue her from the impasse to which she is committed; and finally, as death approaches, she seems to find not God, but only her own solitude. A sense of waste invades us as we reach the end of her story.

This subtle and complex study, at once sympathetic and ironic, is achieved with the greatest economy of means. Gide often pointed out that his *récits* are " des livres de critique "—*La Porte étroite* being " la critique d'une certaine tendance mystique "—but the element of criticism in them never takes the form of commentary or analysis, which the artist in Gide would have thought likely to give only a two-dimensional effect and which the moralist in him would have thought too arbitrary. Instead the subject is presented in such a way as to speak for itself at both the emotional and intellectual levels. This explains Gide's insistence on the importance of form, which he once defined as the element of reason in the work of art. The emotional content of the *récits* is neither suppressed nor allowed to run riot but is contained and disciplined by more intellectual qualities of shape and structure which give the reader a direct insight into the moral content of the work and at the same time, in harmony with the emotional elements, convey an impression of sure and measured beauty. "C'est par la composition," Gide wrote, "qu'un artiste approfondit sa toile. Sans composition, l'œuvre d'art ne saurait présenter qu'une beauté superficielle." We may be sure that Gide was not thinking here only of painting. It is precisely the formal qualities of the *récits* that impart the sense of depth, both moral and artistic, that emerges from a reading of them. Much the same, incidentally, could be said of the classical tragedies of Racine, and Gide himself was certainly conscious of this affinity. "L'œuvre d'art classique," he wrote, "raconte le triomphe de l'ordre et de la mesure sur le romantisme intérieur." While this definition is indeed a most illuminating comment on the French classical tradition, it applies even more particularly to Gide's own *récits*.

Of course they are not composed according to any preconceived plan. Each subject demands its own appropriate form, and at first sight *La Porte étroite* might even seem hardly to be composed at all. In the very first paragraph Gide somewhat coquettishly excuses himself (or has Jérôme excuse himself) for leaving the story "en lambeaux par endroits," and Jérôme's narrative, consisting as it does chiefly in a succession of 'scenes,' some of them barely more than anecdotes, is in fact not very tightly consecutive. We should not necessarily count this a fault, for the novel, less limited in time and place than the drama, can and no doubt should afford a surface impression more nearly like that of life itself; but closer examination will show too that all the incidents described and conversations reported bear on the central theme of the novel and contribute to the progressive revelation of Alissa's complex personality, which itself develops as the story proceeds.

Careful study of the characters will throw further light on the art with which the work is composed. Though we do not think of Gide as a great creator of 'characters,' but rather as a moralist of acute critical and psychological insight—more in the tradition of Montaigne and Pascal than, for example, that of Molière or Balzac—he had the talent of making a character live with no more than a few economical touches of his pen. In *La Porte étroite*, even the most incidental characters are memorably portrayed and interesting in themselves, while the major ones—Alissa, Juliette and to some extent Jérôme—are studied in their development as well. But taken together as they play out their several parts in the novel, they form a pattern which is an essential part of the moral perspective Gide had in mind. It is not merely that some of the characters—Alissa and Juliette, Jérôme's mother and his aunt Mme Plantier—form a group of similar and contrasted temperaments with the difference of generation adding a further interest, satisfying though such a pattern may be, particularly when, as here, there is nothing schematic in the way it is presented. More characteristic, and more elusive, is the way a group of characters conceived in relation to each other offset and enrich one another by the degree of idealism and worldly wisdom, of alertness and complacency, of illusion and disillusion, that they represent. For this is a novel of fruitless idealism. Between Alissa's ideal of love, so exacting that nothing short of total renunciation will do justice to it, and the robust and uncomprehending conception of Mme Plantier, lie the somewhat nebulous romanticism of Jérôme, Juliette's impulsive acceptance of a man she does not love, and the cheerful cynicism of Jérôme's friend Abel. Let us note in passing that there is nothing abstract about these various approaches : each is firmly rooted in individual character and temperament. But they do not exist merely in isolation, or even as an interesting range of attitudes in relation to a central theme ; they are part of the structure of the novel. Each of the five approaches has limitations which correspond to limitations of vision on the part of the character concerned: Alissa cherishes illusions about Jérôme which prevent her from seeing how desperately solitary her chosen path will prove to be; Jérôme, despite or because of his romantic ardour, is too unimaginative to understand, until it is too late, what is happening to his relationship with Alissa; Juliette, in the early part of the novel, does not fully understand Jérôme, and her married happiness seems to rest ultimately on a sort of courageous self-deception; and of the two discreetly comic characters who serve to throw into relief the deep seriousness of Alissa and Jérôme, Abel's self-assurance is matched by an almost total inability to understand either Alissa or Juliette, while Mme Plantier can only irritate Jérôme and Alissa by her well-meaning but inappropriate interventions. Yet the total picture is not so negative as this might suggest, for what we find lacking in one character is often precisely an ability to understand what is worthwhile in another. Although Jérôme's vague idealism, for example, is woefully inadequate to the situation in which he finds himself, we cannot condemn it outright, for Abel has only to intervene with his confident mockery, or Mme Plantier with her commonplace philosophy, and our sense of his spiritual superiority is at once restored. And the beautiful closing pages of the novel, revealing the hidden rift in Juliette's heart, may well serve to temper our sense of the wasted lives of Alissa and Jérôme. In such ways as these Gide uses each character in turn to help fix the perspective in which we should view the others, and so beyond that the perspective of the novel as a whole.

We have already mentioned that the story is recounted by Jérôme, into whose narrative are incorporated extracts from Alissa's correspondence and diary. The entire work is, therefore, written in a borrowed first person. No doubt Gide, whose own memoirs and diary constitute one of his principal claims to fame, found the use of the first person ly congenial. In particular it enabled him to enter more fully into the characters who most interested him, for he had in some sense to become these characters before he could take up his pen on their behalf. But it serves the purposes of his art in other ways too. The *récits* are all ironic works in which the principal characters do not fully understand the implications of their own outlook or of the situations in which they find themselves; and what they think and write acquires a sort of transparency that reveals more than they realize. In *La Porte étroite*, for example, the narrative is so devised that from Jérôme's account alone the reader is able to understand Alissa far better than he does himself, and so to sense directly the inadequacy of the vague romanticism that Jérôme represents. At the same time the use of the first person provides an interesting and economical method of establishing the narrator's character; both the substance and the style of Jérôme's account are revealing in this respect. But it was of course the figure of Alissa that particularly interested Gide, and her diary is a masterly example of his skill in the use of this form. Nowhere does he explore the complexities of a moral situation with a surer touch or with a subtler blend of irony and pathos. For Alissa is by no means blind either to her own or Jérôme's weaknesses or to the dangers of the path she has chosen. She knows to be on her guard against vanity and spiritual pride, and spies out in herself many lurking temptations. But further danger lies in the very satisfaction of having identified them, and there is always some deeper level at which she is deceiving herself—about her own motives, about Jérôme, about the spiritual life. No method could show up more clearly than does the use of the diary form the subtle and poignant disparity between the reality of Alissa's situation and her own apprehension of it, or more movingly express the spiritual torture of her approaching death.

The use of the first person has of course other advantages. The reader, hearing the story direct from one of the participants, is made to feel closer to the events described than he would if they were recounted by an 'omniscient narrator.' More important for Gide's purpose, the author is able to avoid all explanation or comment and so leave the reader to discover the subtleties of the story for himself. This is an added pleasure for the reader, who is also enabled to see the implications of the narrative more clearly and dispassionately than might otherwise have been possible. Finally, first person narration will usually help to ensure the unity of the story, since all the light will be cast from the same angle. In this respect *La Porte étroite* differs somewhat from the other *récits*, for it offers the double perspective of Jérôme's narrative and Alissa's diary. It is open to question whether the artistic unity of the *récit* is to that extent impaired. Perhaps part of the answer is that Alissa's letters and diary fall within Jérôme's narrative, and that in reading them we should—as Jérôme invites us to do—try to put ourselves in his place as well as in Alissa's. It could be argued, too, that the double perspective, difficult to avoid in any case given the subject, is not inappropriate to the greater breadth and complexity of *La Porte étroite* as compared with a strictly unilinear narrative such as *L'Immoraliste*. Jérôme's account by itself does not and could not cover all the implications of the story, and there are numerous occasions when Alissa's comments on events already seen through Jérôme's eyes add, as it were, a further dimension to them. Gide himself seems to have felt that Alissa's diary was much superior to Jérôme's narrative. " Le livre m'apparaît à présent comme un nougat dont les amandes sont bonnes [*i.e.*, *Lettres et Journal d'Alissa*] mais dont le mastic est pâteux, médiocrement écrit." But he recognizes at once that " il ne pouvait en être autrement avec la première personne, le flasque caractère de Jérôme impliquant la flasque prose"; and he might have added too that without Jérôme's narrative, from which all the facts of of the situation are already known, the rare spiritual and psychological intensity of the diary would not have been possible.

Other aspects of Gide's art in *La Porte étroite* will readily occur to the attentive reader: the appropriateness of the setting and the contribution it makes to the atmosphere of the story; the symbolism of the little 'porte à secret' in the garden wall; the ironic recurrence of certain themes and situations; the rôle of M. Bucolin, Alissa's father, whose grave and solitary figure seems to provide a point of rest in the shifting pattern of the novel. Such features cannot be fully considered here, but they will amply repay closer study, as will the sober yet subtle and expressive style of the *récit*. The main thing to bear in mind in appraising these qualities is that form for the sake of it meant nothing to Gide: his chief criticism of authors such as Théophile Gautier or Prosper Mérimée was that their works, with all their formal perfection, were more often than not empty of significance. His unfavourable opinion of these authors may or may not have been justified, but the general approach remains. Certainly in his own works, the artistic and moral elements are almost always inseparable.

How far is this story based on Gide's own life and personal experience? Any reader of *Si le Grain ne meurt* . . . will see at once that some at least of the events, characters, and places are not wholly imaginary. The character of Alissa as she appears in the earlier part of *La Porte étroite* closely corresponds to that of Gide's cousin Madeleine at a similar age, and the family relationships mentioned in the novel are very similar to those of Gide's boyhood. Jérôme's unexpected discovery of Alissa's anguish over her mother's conduct tallies with an almost identical experience recounted by Gide in his autobiography. For his description of the Bucolins' country residence at Fongueusemare, with its white double-storeyed house, its walled garden, its avenue of beeches and its 'petite porte à secret,' which is the setting of most of *La Porte étroite*, Gide went no further than the family property at Cuverville, where his cousin Madeleine had spent her childhood and where too—for after their marriage it became Gide's home as well—much of *La Porte étroite* must have been written. And the atmosphere, at once poetic and religious, of Alissa's Fongueusemare is certainly no less authentic. But despite these and other possible identifications—which are indeed of great interest and may throw valuable light on Gide's method as a creative artist—we must beware of thinking of *La Porte étroite* in autobiographical terms. In its general outline, the drama of Jérôme and Alissa is very different from that of André and Madeleine Gide, and even those elements which are more or less directly borrowed from reality have mostly undergone a significant degree of transposition. Jérôme is clearly not a self-portrait, and though it is certain that Gide put into his picture of Alissa many of the qualities he admired and loved in his wife, we must also take account of his own statement in one of his last works, *Et nunc manet in te*: "Mais l'Alissa de mon livre n'était point elle. Ce n'est pas son portrait que j'ai tracé. Elle-même ne m'a servi que de point de départ pour mon héroïne et je ne pense pas qu'elle s'y soit beaucoup reconnue."

La Porte étroite might of course provide another kind of self-portrait, and it is probably true to say that, at a different level, Alissa is at least as close a reflection of Gide himself as of his cousin Madeleine. Her piety, her religious aspiration, represents at any rate one side of Gide's own nature, and—a consequence perhaps of the use of the first person—many of the ideas he attributes to her, and some of those he attributes to Jérôme, can be paralleled elsewhere in his writings. But here too we must be prudent. Neither Alissa nor Jérôme is there to express Gide's views; they have their own independent life and represent no more than a possibility of his own being. We must remember too that the *récits* are above all ironic works which throw into relief the dangers of moral attitudes that do not sufficiently take account of reality. None of Gide's characters has his perspicacity, and this lack is the measure of his detachment from them. It is also the measure of his power as a creative artist.

The action of *La Porte étroite* is confined almost entirely within the precincts of an isolated country residence in Normandy; the principal characters, all of one family, have little experience or maturity; and the religious sentiments it embodies, Protestant, or perhaps a blend of Protestantism and Jansenism, are personal and inward. The broad stream of life seems to flow past unnoticed. That is doubtless the main reason why Gide preferred not to call *La Porte étroite* a novel. Yet it is more than a penetrating psychological study embodied in a well-composed and moving narrative. Alissa's adventure invites thought on some of the most enduring problems of humanity: problems of desire and renunciation; of courage and heroism; of love, solitude and death. Of course Gide proposes no final answer. Great art always raises more questions than it attempts to resolve. And no doubt the reader too will be unable to reach a conclusion. But no sensitive reader will remain indifferent. "J'appelle un livre manqué," Gide wrote, "celui qui laisse intact le lecteur."

Suggestions for Further Reading

Archambault, Paul : *Humanité d'André Gide* (Bloud et Gay, 1946).
Hytier, Jean : *André Gide* (Charlot, 1938).
Lemaître, Georges : *Four French Novelists* (Oxford University Press, 1938).
Nobécourt, R.-G. : *Les Nourritures normandes d'André Gide* (Éditions Médicis, 1949).
O'Brien, Justin : *Portrait of André Gide* (Secker and Warburg, 1953).
Schildt, Göran : *Gide et l'Homme* (Mercure de France, 1949).
Thomas, D. L. : *André Gide* (Secker and Warburg, 1950).

NOTE

An asterisk in the text indicates that the word, phrase, or passage so marked is explained or commented on in the Notes at the end of the book.

I

D'autres en auraient pu faire un livre ; mais l'histoire que je raconte ici, j'ai mis toute ma force à la vivre et ma vertu s'y est usée. J'écrirai donc très simplement mes souvenirs, et s'ils sont en lambeaux par endroits, je n'aurai recours à aucune invention pour les rapiécer ou les joindre ; l'effort que j'apporterais à leur apprêt gênerait le dernier plaisir que j'espère trouver à les dire.

Je n'avais pas douze ans lorsque je perdis mon père. Ma mère, que plus rien ne retenait au Havre,* où mon père avait été médecin, décida de venir habiter Paris, estimant que j'y finirais mieux mes études. Elle loua, près du Luxembourg,* un petit appartement que Miss Ashburton vint occuper avec nous. Miss Flora Ashburton, qui n'avait plus de famille, avait été d'abord l'institutrice de ma mère, puis sa compagne et bientôt son amie. Je vivais auprès de ces deux femmes à l'air également doux et triste, et que je ne puis revoir qu'en deuil. Un jour, et, je pense, assez longtemps après la mort de mon père, ma mère avait remplacé par un ruban mauve le ruban noir de son bonnet du matin :

— O maman ! m'étais-je écrié ; comme cette couleur te va mal !

Le lendemain elle avait remis un ruban noir.

J'étais de santé délicate. La sollicitude de ma mère et de Miss Ashburton, tout occupée à prévenir ma fatigue, si elle n'a pas fait de moi un paresseux, c'est que j'ai vraiment goût au travail. Dès les premiers beaux jours, toutes deux se persuadent qu'il est temps pour moi de quitter la ville, que j'y pâlis ; vers la mi-juin, nous partons pour Fongueusemare,* aux environs du Havre, où mon oncle Bucolin nous reçoit chaque été.

Dans un jardin pas très grand, pas très beau, que rien de bien particulier ne distingue de quantité d'autres jardins normands, la maison des Bucolin, blanche, à deux étages, ressemble à beaucoup de maisons de campagne du siècle avant-dernier. Elle ouvre une vingtaine de grandes fenêtres sur le devant du jardin, au levant ; autant par derrière ; elle n'en a pas sur les côtés. Les fenêtres sont à petits carreaux : quelques-uns, récemment remplacés, paraissent trop clairs parmi les vieux qui, auprès, paraissent verts et ternis. Certains ont des défauts que nos parents appellent des « bouillons » ; l'arbre qu'on regarde au travers se dégingande ;* le facteur, en passant devant, prend une bosse brusquement.

Le jardin, rectangulaire, est entouré de murs. Il forme devant la maison une pelouse assez large ombragée, dont une allée de sable et de gravier fait le tour. De ce côté, le mur s'abaisse pour laisser voir la cour de ferme qui enveloppe le jardin et qu'une avenue de hêtres limite à la manière du pays.

Derrière la maison, au couchant, le jardin se développe plus à l'aise. Une allée, riante de fleurs, devant les espaliers au midi, est abritée contre les vents de mer par un épais rideau de lauriers du Portugal et par quelques arbres. Une autre allée, le long du mur du nord, disparaît sous les branches. Mes cousines l'appelaient « l'allée noire » et, passé le crépuscule du soir, ne s'y aventuraient pas volontiers. Ces deux allées mènent au potager, qui continue en contre-bas le jardin, après qu'on a descendu quelques marches. Puis, de l'autre côté du mur que troue, au fond du potager, une petite porte à secret, on trouve un bois-taillis* où l'avenue de hêtres, de droite et de gauche, aboutit. Du perron du couchant le regard, par-dessus ce bosquet retrouvant le plateau,* admire la moisson qui le couvre. A l'horizon, pas très distant, l'église d'un petit village et, le soir, quand l'air est tranquille, les fumées de quelques maisons.

Chaque beau soir d'été, après dîner, nous descendions dans « le bas jardin ». Nous sortions par la petite porte secrète et gagnions un banc de l'avenue d'où l'on domine un peu la contrée ; là, près du toit de chaume d'une marnière abandonnée, mon oncle, ma mère et Miss Ashburton s'asseyaient ; devant nous, la petite vallée s'emplissait de brume et le ciel se dorait* au-dessus du bois plus lointain. Puis nous nous attardions au fond du jardin déjà sombre. Nous rentrions ; nous retrouvions au salon ma tante qui ne sortait presque jamais avec nous. . . Pour nous, enfants, là se terminait la soirée ; mais bien souvent nous étions encore à lire* dans nos chambres quand, plus tard, nous entendions monter nos parents.

Presque toutes les heures du jour que nous ne passions pas au jardin, nous les passions dans « la salle d'étude », le bureau de mon oncle où l'on avait disposé des pupitres d'écoliers. Mon cousin Robert et moi nous travaillions côte à côte ; derrière nous, Juliette et Alissa. Alissa a deux ans de plus, Juliette un an de moins que moi ; Robert est, de nous quatre, le plus jeune.

Ce ne sont pas mes premiers souvenirs que je prétends* écrire ici, mais ceux-là seuls qui se rapportent à cette histoire. C'est vraiment l'année de la mort de mon père que je puis dire qu'elle commence. Peut-être ma sensibilité, surexcitée par notre deuil* et, sinon par mon propre chagrin, du moins par la vue du chagrin de ma mère, me prédisposait-elle à de nouvelles émotions : j'étais précocement mûri ; lorsque, cette année, nous revînmes à Fongueusemare, Juliette et Robert m'en parurent d'autant plus jeunes, mais, en revoyant Alissa, je compris brusquement que tous deux nous avions cessé d'être enfants.

Oui, c'est bien l'année de la mort de mon père ; ce qui confirme ma mémoire, c'est une conversation de ma mère avec Miss Ashburton, sitôt après notre arrivée. J'étais inopinément entré dans la chambre où ma mère causait avec son amie ; il s'agissait de ma tante ; ma mère s'indignait qu'elle n'eût pas pris le deuil ou qu'elle l'eût déjà quitté. (Il m'est, à vrai dire, aussi impossible d'imaginer ma tante Bucolin en noir que ma mère en robe claire.) Ce jour de notre arrivée, autant qu'il m'en souvient, Lucile Bucolin portait une robe de mousseline. Miss Ashburton, conciliante comme toujours, s'efforçait de calmer ma mère ; elle arguait craintivement :

— Après tout, le blanc aussi est de deuil.

— Et vous appelez aussi « de deuil » ce châle rouge qu'elle a mis sur ses épaules ? Flora, vous me révoltez ! s'écriait ma mère.

Je ne voyais ma tante que durant les mois de vacances et sans doute la chaleur de l'été motivait ces corsages légers et largement ouverts que je lui ai toujours connus ;* mais, plus encore que l'ardente couleur des écharpes que ma tante jetait sur ses épaules nues, ce décolletage scandalisait ma mère.

Lucile Bucolin était très belle. Un petit portrait d'elle que j'ai gardé me la montre telle qu'elle était alors, l'air si jeune qu'on l'eût prise* pour la sœur aînée de ses filles, assise de côté, dans cette pose qui lui était coutumière : la tête inclinée sur la main gauche au petit doigt mièvrement replié vers la lèvre. Une résille à grosses mailles retient la masse de ses cheveux crêpelés à demi croulés sur la nuque ; dans l'échancrure du corsage pend, à un lâche collier* de velours noir, un médaillon de mosaïque italienne. La ceinture de velours noir au large nœud flottant, le chapeau de paille souple à grands bords qu'au dossier de la chaise elle a suspendu par la bride, tout ajoute à son air enfantin. La main droite, tombante, tient un livre fermé.

Lucile Bucolin était créole ; elle n'avait pas connu ou avait perdu très tôt ses parents. Ma mère me raconta, plus tard, qu'abandonnée ou orpheline elle fut recueillie par le ménage du pasteur Vautier qui n'avait pas encore d'enfants et qui, bientôt après quittant* la Martinique,* amena celle-ci au Havre où la famille Bucolin était fixée.* Les Vautier et les Bucolin se fréquentèrent ; mon oncle était alors employé dans une banque à l'étranger, et ce ne fut que trois ans plus tard, lorsqu'il revint auprès des siens, qu'il vit la petite Lucile ; il s'éprit d'elle et aussitôt demanda sa main, au grand chagrin de ses parents et de ma mère. Lucile avait alors seize ans. Entre temps, Mme Vautier avait eu deux enfants ; elle commençait à redouter pour eux l'influence de cette sœur adoptive dont le caractère s'affirmait plus bizarrement de mois en mois ; puis les ressources du ménage étaient maigres . . . tout ceci, c'est ce que me dit ma mère pour m'expliquer que les Vautier aient accepté la demande de son frère avec joie. Ce que je suppose, au surplus, c'est que la jeune Lucile commençait à les embarrasser terriblement. Je connais assez la société du Havre pour imaginer aisément le genre d'accueil qu'on fit à cette enfant si séduisante. Le pasteur Vautier, que j'ai connu plus tard doux, circonspect et naïf à la fois, sans ressources contre l'intrigue et complètement désarmé devant le mal — l'excellent homme devait être aux abois. Quant à Mme Vautier, je n'en puis rien dire ; elle mourut en couches à la naissance d'un quatrième enfant, celui qui, de mon âge à peu près, devait devenir plus tard mon ami. . .

Lucile Bucolin ne prenait que peu de part à notre vie ; elle ne descendait de sa chambre que passé le repas de midi ; elle s'allongeait aussitôt sur un sofa ou dans un hamac, demeurait étendue jusqu'au soir et ne se relevait que languissante. Elle portait parfois à son front, pourtant parfaitement main, un mouchoir comme pour essuyer une moiteur ; c'était un mouchoir dont m'émerveillaient la finesse et l'odeur qui semblait moins un parfum de fleur que de fruit ; parfois elle tirait de sa ceinture un minuscule miroir à glissant couvercle d'argent, qui pendait à sa chaîne de montre avec divers objets ; elle se regardait, d'un doigt touchait sa lèvre, cueillait un peu de salive et s'en mouillait le coin des yeux. Souvent elle tenait un livre, mais un livre presque toujours fermé ; dans le livre, une liseuse d'écaille restait prise entre les feuillets. Lorsqu'on approchait d'elle, son regard ne se détournait pas de sa rêverie pour vous voir. Souvent, de sa main ou négligente ou fatiguée, de l'appui* du sofa, d'un repli de sa jupe, le mouchoir tombait à terre, ou le livre, ou quelque fleur, ou le signet. Un jour, ramassant le livre, — c'est un souvenir d'enfant que je vous dis — en voyant que c'étaient des vers, je rougis.

Le soir, après dîner, Lucile Bucolin ne s'approchait pas à* notre table de famille, mais, assise au piano, jouait avec complaisance de lentes mazurkas de Chopin ;* parfois rompant la mesure, elle s'immobilisait* sur un accord. . .

J'éprouvais un singulier malaise auprès de ma tante, un sentiment fait de trouble, d'une sorte d'admiration et d'effroi. Peut-être un obscur instinct me prévenait-il contre elle ; puis je sentais qu'elle méprisait Flora Ashburton et ma mère, que Miss Ashburton la craignait et que ma mère ne l'aimait pas.

Lucile Bucolin, je voudrais ne plus vous en vouloir, oublier un instant que vous avez fait tant de mal. . . du moins j'essaierai de parler de vous sans colère.

Un jour de cet été — ou de l'été suivant, car, dans ce décor toujours pareil, parfois mes souvenirs superposés* se confondent — j'entre au salon chercher un livre ; elle y était.

J'allais me retirer aussitôt ; elle qui, d'ordinaire, semble à peine me voir, m'appelle :

— Pourquoi t'en vas-tu si vite ? Jérôme ! est-ce que je te fais peur ?

Le cœur battant, je m'approche d'elle ; je prends sur moi de lui sourire et de lui tendre la main. Elle garde ma main dans l'une des siennes et de l'autre caresse ma joue.

— Comme ta mère t'habille mal, mon pauvre petit !. . .

Je portais alors une sorte de vareuse à grand col, que ma tante commence de chiffonner.

— Les cols marins se portent beaucoup plus ouverts ! dit-elle en faisant sauter* un bouton de chemise. — Tiens ! regarde si tu n'es pas mieux ainsi ! — et, sortant son petit miroir, elle attire contre le sien mon visage, passe autour de mon cou son bras nu, descend sa main dans ma chemise entr'ouverte, demande en riant si je suis chatouilleux, pousse plus avant. . . . J'eus un sursaut si brusque que ma vareuse se déchira ; le visage en feu, et tandis qu'elle s'écriait :

— Fi ! le grand sot ! — je m'enfuis ; je courus jusqu'au fond du jardin ; là, dans un petit citerneau* du potager, je trempai mon mouchoir, l'appliquai sur mon front, lavai, frottai mes joues, mon cou, tout ce que cette femme avait touché.

Certains jours, Lucile Bucolin avait « sa crise ». Cela la prenait tout à coup et révolutionnait la maison. Miss Ashburton se hâtait d'emmener et d'occuper les enfants ; mais on ne pouvait pas, pour eux, étouffer les cris affreux qui partaient de la chambre à coucher ou du salon. Mon oncle s'affolait, on l'entendait courir dans les couloirs, cherchant des serviettes, de l'eau de Cologne, de l'éther ; le soir, à table, où ma tante ne paraissait pas encore, il gardait une mine anxieuse et vieillie.

Quand la crise était à peu près passée, Lucile Bucolin

appelait ses enfants auprès d'elle ; du moins Robert et Juliette ; jamais Alissa. Ces tristes jours, Alissa s'enfermait dans sa chambre, où parfois son père venait la retrouver ; car il causait souvent avec elle.

Les crises de ma tante impressionnaient beaucoup les domestiques. Un soir que la crise avait été particulièrement forte et que j'étais resté avec ma mère, consigné dans sa chambre d'où l'on percevait moins ce qui se passait au salon, nous entendîmes la cuisinière courir dans les couloirs en criant :

— Que Monsieur descende vite, la pauvre Madame est en train de mourir !

Mon oncle était monté dans la chambre d'Alissa ; ma mère sortit à sa rencontre. Un quart d'heure après, comme tous deux passaient sans y faire attention devant les fenêtres ouvertes de la chambre où j'étais resté, me parvint la voix de ma mère :

— Veux-tu que je te dise, mon ami : tout cela, c'est de la comédie.*—Et plusieurs fois, séparant les syllabes : de la co-mé-die.

Ceci se passait vers la fin des vacances, et deux ans après notre deuil. Je ne devais plus revoir longtemps ma tante. Mais avant de parler du triste événement qui bouleversa notre famille, et d'une petite circonstance qui, précédant de peu* le dénouement, réduisit en pure haine le sentiment complexe et indécis encore que j'éprouvais pour Lucile Bucolin, il est temps que je vous parle de ma cousine.

Qu'Alissa Bucolin fût jolie, c'est ce dont je ne savais m'apercevoir encore ; j'étais requis* et retenu près d'elle par un charme autre que celui de la simple beauté. Sans doute, elle ressemblait beaucoup à sa mère ; mais son regard était d'expression si différente que je ne m'avisai de cette ressemblance que plus tard. Je ne puis décrire un visage ; les traits m'échappent, et jusqu'à la couleur des yeux ; je ne revois que l'expression presque triste déjà de son sourire et que la ligne de ses sourcils, si extraordinairement relevés au-dessus des yeux, écartés de l'œil en grand cercle. Je n'ai vu les pareils nulle part . . . si pourtant : dans une statuette florentine de l'époque du Dante ;* et je me figure volontiers que Béatrix* enfant avait des sourcils très largement arqués comme ceux-là. Ils donnaient au regard, à tout l'être, une expression d'interrogation à la fois anxieuse et confiante, — oui, d'interrogation passionnée. Tout, en elle, n'était que question et qu'attente. . . Je vous dirai comment cette interrogation s'empara de moi, fit ma vie.

Juliette cependant pouvait paraître plus belle ; la joie et la santé posaient sur elle leur éclat ; mais sa beauté, près de la grâce de sa sœur, semblait extérieure et se livrer à tous d'un seul coup. Quant à mon cousin Robert, rien de particulier ne le caractérisait. C'était simplement un garçon à peu près de mon âge ; je jouais avec Juliette et avec lui ; avec Alissa je causais ; elle ne se mêlait guère à nos jeux ; si loin que je replonge* dans le passé, je la vois sérieuse, doucement souriante et recueillie. — De quoi causions-nous ? De quoi peuvent causer deux enfants ? Je vais bientôt tâcher de vous le dire ; mais je veux d'abord, et pour ne plus ensuite reparler d'elle, achever de vous raconter ce qui a trait à ma tante.

Deux ans après la mort de mon père, nous vînmes, ma mère et moi, passer les vacances de Pâques au Havre. Nous n'habitions pas chez les Bucolin qui, en ville, étaient assez étroitement logés, mais chez une sœur aînée de ma mère, dont la maison était plus vaste. Ma tante Plantier, que je n'avais que rarement l'occasion de voir, était veuve depuis longtemps ; à peine connaissais-je ses enfants, beaucoup plus âgés que moi et de nature très différente. La « maison Plantier », comme on disait au Havre, n'était pas dans la ville même, mais à mi-hauteur de cette colline qui domine la ville et qu'on appelle « la Côte ». Les Bucolin habitaient près du quartier des affaires ; un raidillon* menait assez rapidement de l'une à l'autre maison ; je le dégringolais et le regravissais plusieurs fois par jour.

Ce jour-là je déjeunai chez mon oncle. Peu de temps après le repas, il sortit ; je l'accompagnai jusqu'à son bureau, puis remontai à la maison Plantier chercher ma mère. Là j'appris qu'elle était sortie avec ma tante et ne rentrerait que pour dîner. Aussitôt je redescendis en ville, où il était rare que je pusse librement me promener. Je gagnai le port, qu'un brouillard de mer rendait morne ; j'errai une heure ou deux sur les quais. Brusquement le désir me saisit d'aller surprendre Alissa que pourtant je venais de quitter. . Je traverse la ville en courant, sonne à la porte des Bucolin ; déjà je m'élançais dans l'escalier. La bonne qui m'a ouvert m'arrête :

— Ne montez pas, monsieur Jérôme, ne montez pas ! madame a une crise.

Mais je passe outre : — Ce n'est pas ma tante que je viens voir... La chambre d'Alissa est au troisième étage. Au premier, le salon et la salle à manger ; au second, la chambre de ma tante d'où jaillissent des voix. La porte est ouverte devant laquelle il faut passer ; un rais de lumière sort de la chambre et coupe le palier de l'escalier ; par crainte d'être vu, j'hésite un instant, me dissimule, et, plein de stupeur, je vois ceci : au milieu de la chambre aux rideaux clos, mais où les bougies de deux candélabres répandent une clarté joyeuse, ma tante est couchée sur une chaise-longue ; à ses pieds, Robert et Juliette ; derrière elle, un inconnu jeune homme en uniforme de lieutenant. — La présence de ces deux enfants m'apparaît aujourd'hui monstrueuse ; dans mon innocence d'alors, elle me rassura plutôt. — Ils regardent en riant l'inconnu qui répète d'une voix flûtée :

— Bucolin ! Bucolin ! . . . Si j'avais un mouton, sûrement je l'appellerais Bucolin.

Ma tante elle-même rit aux éclats. Je la vois tendre au

jeune homme une cigarette qu'il allume et dont elle tire quelques bouffées. La cigarette tombe à terre. Lui s'élance pour la ramasser, feint de se prendre les pieds dans une écharpe, tombe à genoux devant ma tante. . . A la faveur de ce ridicule jeu de scène,* je me glisse sans être vu.

Me voici devant la porte d'Alissa. J'attends un instant. Les rires et les éclats de voix* montent de l'étage inférieur ; et peut-être ont-ils couvert le bruit que j'ai fait en frappant, car je n'entends pas de réponse. Je pousse la porte, qui cède silencieusement. La chambre est déjà si sombre que je ne distingue pas aussitôt Alissa ; elle est au chevet de son lit, à genoux, tournant le dos à la croisée d'où tombe un jour mourant. Elle se retourne, sans se relever pourtant, quand j'approche, murmure :

— Oh ! Jérôme, pourquoi reviens-tu ?

Je me baisse pour l'embrasser ; son visage est noyé de larmes. . .

Cet instant décida de ma vie ; je ne puis encore aujourd'hui le remémorer sans angoisse. Sans doute je ne comprenais que bien imparfaitement la cause de la détresse d'Alissa, mais je sentais intensément que cette détresse était beaucoup trop forte pour cette petite âme palpitante, pour ce frêle corps tout secoué de sanglots.

Je restais debout près d'elle, qui restait agenouillée ; je ne savais rien exprimer du transport nouveau de mon cœur ; mais je pressais sa tête contre mon cœur et sur son front mes lèvres par où mon âme s'écoulait. Ivre d'amour, de pitié, d'un indistinct mélange d'enthousiasme, d'abnégation, de vertu, j'en appelais à Dieu de toutes mes forces et m'offrais, ne concevant plus d'autre but à ma vie que d'abriter cette enfant contre la peur, contre le mal, contre la vie. Je m'agenouille enfin plein de prière ; je la réfugie* contre moi ;

confusément je l'entends dire :

— Jérôme ! ils ne t'ont pas vu, n'est-ce pas ? Oh ! va-t'en vite ! Il ne faut pas qu'ils te voient.

Puis, plus bas encore :

— Jérôme, ne raconte à personne . . . mon pauvre papa ne sait rien. . .

Je ne racontai donc rien à ma mère ; mais les interminables chuchoteries que ma tante Plantier tenait avec elle, l'air mystérieux, affairé et peiné de ces deux femmes, le : « Mon enfant, va jouer plus loin ! » avec lequel elles me repoussaient chaque fois que je m'approchais de leurs conciliabules, tout me montrait qu'elles n'ignoraient pas complètement le secret de la maison Bucolin.

Nous n'étions pas plus tôt rentrés à Paris qu'une dépêche rappelait ma mère au Havre : ma tante venait de s'enfuir.

— Avec quelqu'un ? demandai-je à Miss Ashburton, auprès de qui ma mère me laissait.

— Mon enfant, tu demanderas cela à ta mère ; moi je ne peux rien te répondre, disait cette chère vieille amie, que cet événement consternait.

Deux jours après, nous partions, elle et moi, rejoindre ma mère. C'était un samedi. Je devais retrouver mes cousines le lendemain, au temple, et cela seul occupait ma pensée ; car mon esprit d'enfant attachait une grande importance à cette sanctification de notre revoir. Après tout, je me souciais peu de ma tante, et mis un point d'honneur à ne pas questionner ma mère.

Dans la petite chapelle, il n'y avait, ce matin-là, pas grand monde. Le pasteur Vautier, sans doute intentionnellement, avait pris pour texte de sa méditation ces paroles du Christ : « Efforcez-vous d'entrer par la porte étroite. »*

Alissa se tenait à quelques places devant moi. Je voyais de

profil son visage ; je la regardais fixement, avec un tel oubli de moi qu'il me semblait que j'entendais à travers elle ces mots que j'écoutais éperdument. — Mon oncle était assis à côté de ma mère et pleurait.

Le pasteur avait d'abord lu tout le verset :*

« Efforcez-vous d'entrer par la porte étroite, car la porte large et le chemin spacieux mènent à la perdition, et nombreux sont ceux qui y passent ; mais étroite est la porte et resserrée la voie qui conduisent à la Vie, et il en est peu qui les trouvent. » Puis, précisant les divisions du sujet, il parlait d'abord du chemin spacieux. . . L'esprit perdu,* et comme en rêve, je revoyais la chambre de ma tante ; je revoyais ma tante étendue, riante ; je revoyais le brillant officier rire aussi . . . et l'idée même du rire, de la joie, se faisait blessante, outrageuse, devenait comme l'odieuse exagération du péché ! . . .

« Et nombreux sont ceux qui y passent, » reprenait le pasteur Vautier ; puis il peignait et je voyais une multitude parée, riant et s'avançant folâtrement, formant cortège où je sentais que je ne pouvais, que je ne voulais pas trouver place, parce que chaque pas que j'eusse fait avec eux m'aurait écarté d'Alissa. — Et le pasteur ramenait le début du texte, et je voyais cette porte étroite par laquelle il fallait s'efforcer d'entrer. Je me la représentais, dans le rêve où je plongeais, comme une sorte de laminoir* où je m'introduisais avec effort, avec une douleur extraordinaire où se mêlait pourtant un avant-goût de la félicité du ciel. Et cette porte devenait encore la porte même de la chambre d'Alissa ; pour entrer je me réduisais, me vidais de tout ce qui subsistait en moi d'égoïsme. . . « Car étroite est la voie qui conduit à la Vie, » continuait le pasteur Vautier — et par delà toute macération, toute tristesse, j'imaginais, je pressentais une autre joie, pure, mystique, séraphique et dont mon âme déjà s'assoiffait. Je l'imaginais, cette joie, comme un chant de violon à la fois strident et tendre, comme une flamme aiguë où le cœur d'Alissa et le mien paisaient. Tous deux nous avancions, vêtus de ces vêtements blancs dont nous parlait l'Apocalypse,* nous tenant par la main et regardant un même but. . . Que m'importe si ces rêves d'enfant font sourire ! je les redis sans y changer.* La confusion qui peut-être y paraît n'est que dans les mots et dans les imparfaites images pour rendre un sentiment très précis.

— « Il en est peu qui la trouvent, » achevait le pasteur Vautier. Il expliquait comment trouver la porte étroite. . . « Il en est peu.» — Je serais de ceux-là. . .

J'étais parvenu vers la fin du sermon à un tel état de tension morale que, sitôt le culte fini, je m'enfuis sans chercher à voir ma cousine — par fierté, voulant déjà mettre mes résolutions (car j'en avais pris) à l'épreuve, et pensant la mieux mériter en m'éloignant d'elle aussitôt.

II

Cet enseignement austère trouvait une âme préparée, naturellement disposée au devoir, et que l'exemple de mon père et de ma mère, joint à la discipline puritaine à laquelle ils avaient soumis les premiers élans de mon cœur, achevait d'incliner vers ce que j'entendais appeler : la vertu. Il m'était aussi naturel de me contraindre qu'à d'autres de s'abandonner, et cette rigueur à laquelle on m'asservissait, loin de me rebuter, me flattait. Je quêtais de l'avenir non tant le bonheur que l'effort infini pour l'atteindre, et déjà confondais bonheur et vertu. Sans doute, comme un enfant de quatorze ans, je restais encore indécis, disponible ; mais bientôt mon amour pour Alissa m'enfonça délibérément dans ce sens. Ce fut une subite illumination intérieure à la faveur de laquelle je pris conscience de moi-même :* je m'apparus replié,* mal éclos, plein d'attente, assez peu soucieux d'autrui, médiocrement entreprenant, et ne rêvant d'autres victoires que celles qu'on obtient sur soi-même. J'aimais l'étude ; parmi les jeux, ne m'éprenais que pour ceux qui demandent ou recueillement ou effort. Avec les camarades de mon âge, je frayais peu et ne me prêtais à leurs amusements que par affection ou complaisance. Je me liai pourtant avec Abel Vautier, qui, l'an suivant, vint me rejoindre à Paris, dans ma classe. C'était un garçon gracieux, indolent, pour qui je me sentais plus d'affection que d'estime, mais avec qui du moins je pouvais parler du Havre et de Fongueusemare, vers où revolait sans cesse ma pensée.

Quant à mon cousin Robert Bucolin, qu'on avait mis pensionnaire au même lycée que nous mais deux classes au-dessous, je ne le retrouvais que les dimanches. S'il n'avait été frère de mes cousines, auxquelles du reste il ressemblait peu, je n'aurais pris aucun plaisir à le voir.

J'étais alors tout occupé par mon amour et ce ne fut qu'éclairées par lui que ces deux amitiés prirent pour moi quelque importance. Alissa était pareille à cette perle de grand prix* dont m'avait parlé l'Évangile ; j'étais celui qui vend tout ce qu'il a pour l'avoir. Si enfant que je fusse encore, ai-je tort de parler d'amour et de nommer ainsi le sentiment que j'éprouvais pour ma cousine ? Rien de ce que je connus ensuite ne me paraît mieux digne de ce nom, — et d'ailleurs, lorsque je devins d'âge à souffrir des plus précises inquiétudes de la chair, mon sentiment ne changea pas beaucoup de nature : je ne cherchai pas plus directement à posséder celle que, tout enfant, je prétendais seulement mériter. Travail, efforts, actions pies, mystiquement j'offrais tout à Alissa, inventant un raffinement de vertu, à lui laisser souvent ignorer ce que je n'avais fait que pour elle. Je m'enivrais ainsi d'une sorte de modestie capiteuse et m'habituais, hélas ! consultant peu ma plaisance, à ne me satisfaire à rien* qui ne m'eût coûté quelque effort.

Cette émulation n'éperonnait-elle que moi ? Il ne me paraît pas qu'Alissa y fût sensible et fît rien à cause de moi, ou pour moi, qui ne m'efforçais que pour elle. Tout, dans son âme sans apprêt, restait de la plus naturelle beauté. Sa vertu gardait tant d'aisance et de grâce qu'elle semblait un abandon. A cause de son sourire enfantin, la gravité de son regard était charmante ; je revois ce regard si doucement, si tendrement interrogateur se lever et comprends que mon oncle ait, dans son désarroi, cherché près de sa fille aînée soutien, conseil et réconfort. Souvent, dans l'été qui suivit, je le vis causer avec elle. Son chagrin l'avait beaucoup vieilli ; il ne parlait guère aux repas, ou parfois montrait brusquement une sorte de joie de commande, plus pénible que son silence. Il restait à fumer dans son bureau jusqu'à l'heure du soir où venait le retrouver

Alissa ; il se faisait prier pour sortir ; elle l'emmenait comme un enfant, dans le jardin. Tous deux, descendant l'allée aux fleurs, allaient s'asseoir dans le rond-point, près* l'escalier du potager, où nous avions porté des chaises.

Un soir que je m'attardais à lire, étendu sur le gazon à l'ombre d'un des grands hêtres pourpres, séparé de l'allée aux fleurs simplement par la haie de lauriers qui empêchait les regards, point les voix, j'entendis Alissa et mon oncle. Sans doute ils venaient de parler de Robert ; mon nom fut alors prononcé par Alissa, et, comme je commençais à distinguer leurs paroles, mon oncle s'écria :

— Oh ! lui, il aimera toujours le travail.

Écouteur malgré moi, je voulus m'en aller, tout au moins faire quelque mouvement qui leur signalât ma présence ; mais quoi ? tousser ? crier : je suis là ! je vous entends ! . . . et ce fut bien plutôt la gêne et la timidité, que la curiosité d'en entendre davantage, qui me tinrent coi. Du reste, ils ne faisaient que passer et je n'entendais que très imparfaitement leurs propos. . . Mais ils avançaient lentement ; sans doute, comme elle avait accoutumé, Alissa, un léger panier au bras, enlevait les fleurs fanées et ramassait au pied des espaliers les fruits encore verts que les fréquents brouillards de mer faisaient choir. J'entendis sa claire voix :

— Papa, est-ce que mon oncle Palissier était un homme remarquable ?

La voix de mon oncle était sourde et voilée ; je ne distinguai pas sa réponse. Alissa insista :

— Très remarquable, dis ?*

De nouveau trop confuse réponse ; puis Alissa de nouveau :

— Jérôme est intelligent, n'est-ce pas ?

Comment n'eussé-je pas tendu l'oreille . . . mais non, je ne pus rien distinguer. Elle reprit :

— Est-ce que tu crois qu'il deviendra quelqu'un de remarquable ?

Ici la voix de l'oncle se haussa :

— Mais, mon enfant, je voudrais d'abord savoir ce que tu entends par ce mot : remarquable ! mais on peut être très remarquable sans qu'il y paraisse, du moins aux yeux des hommes . . . très remarquable aux yeux de Dieu.

— C'est bien ainsi que je l'entends, dit Alissa.

— Et puis . . . est-ce qu'on peut savoir ? il est trop jeune . . . Oui, certainement, il promet beaucoup ; mais cela ne suffit pas pour réussir. . .

— Qu'est-ce qu'il faut encore ?

— Mais, mon enfant, que veux-tu que je te dise ? Il faut de la confiance, du soutien, de l'amour. . .

— Qu'appelles-tu du soutien ? interrompit Alissa.

— L'affection et l'estime qui m'ont manqué, répondit tristement mon oncle ; puis leur voix définitivement se perdit.

Au moment de ma prière du soir, j'eus des remords de mon indiscrétion involontaire, et me promis de m'en accuser* à ma cousine. Peut-être que cette fois la curiosité d'en savoir un peu plus s'y mêlait.

Aux premiers mots que je lui dis le lendemain :

— Mais, Jérôme, c'est très mal d'écouter ainsi. Tu devais nous avertir ou t'en aller.

— Je t'assure que je n'écoutais pas . . . que j'entendais sans le vouloir. . . Puis vous ne faisiez que passer.

— Nous marchions lentement.

— Oui, mais je n'entendais qu'à peine. J'ai cessé de vous entendre aussitôt. . . Dis,* que t'a répondu mon oncle quand tu lui as demandé ce qu'il fallait pour réussir ?

— Jérôme, dit-elle en riant, tu l'as parfaitement entendu ! Tu t'amuses à me le faire redire.

— Je t'assure que je n'ai entendu que le commencement, . . . quand il parlait de confiance et d'amour.

— Il a dit, après, qu'il fallait beaucoup d'autres choses.

— Mais toi, qu'est-ce que tu avais répondu ?

Elle devint tout à coup très grave :

— Quand il a parlé de soutien dans la vie, j'ai répondu que tu avais ta mère.

— Oh ! Alissa, tu sais bien que je ne l'aurai pas toujours. . . Et puis ce n'est pas la même chose. . .

Elle baissa le front :

— C'est aussi ce qu'il m'a répondu.

Je lui pris la main en tremblant.

— Tout ce que je serai plus tard, c'est pour toi que je le veux être.*

— Mais, Jérôme, moi aussi je peux te quitter.

Mon âme entrait dans mes paroles :

— Moi, je ne te quitterai jamais.

Elle haussa un peu les épaules :

— N'es-tu pas assez fort pour marcher seul ? C'est tout seul que chacun de nous doit gagner Dieu.

— Mais c'est toi qui me montres la route.

— Pourquoi veux-tu chercher un autre guide que le Christ ? . . . Crois-tu que nous soyons jamais plus près l'un de l'autre que lorsque, chacun de nous deux oubliant l'autre, nous prions Dieu ?

— Oui, de nous réunir,* interrompis-je ; c'est ce que je lui demande chaque matin et chaque soir.

— Est-ce que tu ne comprends pas ce que peut être la communion en Dieu ?

— Je le comprends de tout mon cœur : c'est se retrouver éperdûment dans une même chose adorée. Il me semble que c'est précisément pour te retrouver que j'adore ce que je sais que tu adores aussi.

— Ton adoration n'est point pure.

— Ne m'en demande pas trop. Je ferais fi du ciel si je ne devais pas t'y retrouver.

Elle mit un doigt sur ses lèvres et un peu solennellement : — « Recherchez premièrement le royaume de Dieu et sa justice. »*

En transcrivant nos paroles, je sens bien qu'elles paraîtront peu enfantines à ceux qui ne savent pas combien sont volontiers graves les propos de certains enfants. Qu'y puis-je ? Chercherai-je à les excuser ? Pas plus que je ne veux les farder pour les faire paraître plus naturelles.

Nous nous étions procuré les Évangiles dans le texte de la Vulgate* et en savions par cœur de longs passages. Sous prétexte d'aider son frère, Alissa avait appris avec moi le latin ; mais plutôt, je suppose, pour continuer de me suivre dans mes lectures. Et, certes, à peine osais-je prendre goût à une étude où je savais qu'elle ne m'accompagnerait pas. Si cela m'empêcha parfois, ce ne fut pas, comme on pourrait croire, en arrêtant l'élan de mon esprit ; au contraire, il me semblait qu'elle me précédât partout librement. Mais mon esprit choisissait ses voies selon elle, et ce qui nous occupait alors, ce que nous appelions : pensée, n'était souvent qu'un prétexte à quelque communion plus savante,* qu'un déguisement du sentiment, qu'un revêtement de l'amour.

Ma mère avait pu s'inquiéter* d'abord d'un sentiment dont elle ne mesurait pas encore la profondeur ; mais, à présent qu'elle sentait ses forces décliner, elle aimait à nous réunir dans un même embrassement maternel. La maladie de cœur dont elle souffrait depuis longtemps lui causait de plus en plus fréquents malaises. Au cours d'une crise particulièrement forte, elle me fit approcher d'elle :

— Mon pauvre petit, tu vois que je vieillis beaucoup, me dit-elle ; un jour je te laisserai brusquement.

Elle se tut, très oppressée. Irrésistiblement, alors je m'écriai, ce qu'il semblait qu'elle attendît que je lui disse :

— Maman . . ., tu sais que je veux épouser Alissa. Et ma phrase faisait suite sans doute à ses plus intimes pensées, car elle reprit aussitôt :

— Oui ; c'est de cela que je voulais te parler, mon Jérôme.

— Maman ! dis-je en sanglotant : tu crois qu'elle m'aime,

n'est-ce pas ?

— Oui, mon enfant. Elle répéta plusieurs fois, tendrement : Oui, mon enfant. Elle parlait péniblement. Elle ajouta : Il faut laisser faire au Seigneur. Puis, comme j'étais incliné près d'elle, elle posa sa main sur ma tête, dit encore :

— Que Dieu vous garde, mes enfants ! Que Dieu vous garde tous les deux, puis tomba dans une sorte d'assoupissement dont je ne cherchai pas à la tirer.

Cette conversation ne fut jamais reprise ; le lendemain, ma mère se sentit mieux ; je repartis pour mes cours, et le silence se referma sur cette demi-confidence. Du reste, qu'eussé-je appris davantage ? Qu'Alissa m'aimât, je n'en pouvais douter un instant. Et quand je l'eusse fait jusqu'alors, le doute eût disparu pour jamais de mon cœur lors du triste événement qui suivit.

Ma mère s'éteignit très doucement un soir, entre Miss Ashburton et moi. La dernière crise qui l'enleva ne semblait d'abord pas plus forte que les précédentes ; elle ne prit un caractère alarmant que vers la fin, avant laquelle aucun de nos parents n'eut le temps d'accourir. C'est près de la vieille amie de ma mère que je restai à veiller la chère morte la première nuit. J'aimais profondément ma mère et m'étonnais malgré mes larmes de ne point sentir en moi de tristesse ; lorsque je pleurais, c'était en m'apitoyant sur Miss Ashburton, qui voyait son amie, plus jeune qu'elle de beaucoup d'années, la précéder ainsi devant Dieu. Mais la secrète pensée que ce deuil allait précipiter vers moi ma cousine dominait immensément mon chagrin.

Le lendemain, arriva mon oncle. Il me tendit une lettre de sa fille qui ne vint, avec ma tante Plantier, que le jour suivant.

— Jérôme, mon ami, mon frère, [*y disait-elle*], combien je me désole de n'avoir pas pu lui dire avant sa mort les quelques mots qui lui eussent donné ce grand contentement qu'elle attendait. A présent, qu'elle me pardonne ! et que Dieu seul nous guide tous deux désormais ! Adieu, mon pauvre ami. Je suis plus tendrement que jamais, ton Alissa.

Qu'eût pu signifier cette lettre ? Quels étaient donc ces mots qu'elle se désolait de n'avoir pas prononcés, sinon ceux par lesquels elle eût engagé notre avenir ? J'étais si jeune encore que je n'osais pourtant demander aussitôt sa main. Du reste, avais-je besoin de sa promesse ? N'étions-nous pas déjà comme fiancés ? Notre amour n'était plus un secret pour nos proches ; mon oncle, pas plus que ma mère, n'y apportait d'obstacles ;* au contraire, il me traitait déjà comme son fils.

Les vacances de Pâques, qui vinrent quelques jours après, je les passai au Havre, logeant chez ma tante Plantier, et prenant presque tous mes repas chez mon oncle Bucolin.

Ma tante Félicie Plantier était la meilleure des femmes, mais ni mes cousines ni moi n'avions avec elle grande intimité. Un affairement continu l'essoufflait ; ses gestes étaient sans douceur, sa voix était sans mélodie ; elle nous bousculait de caresses, prise, à n'importe quel moment du jour, d'un besoin d'effusion où son affection pour nous débordait. Mon oncle Bucolin l'aimait beaucoup, mais rien qu'au son de sa voix, lorsqu'il lui parlait, il nous était aisé de sentir combien il avait préféré ma mère.

— Mon pauvre enfant, commença-t-elle un soir, je ne sais ce que tu as l'intention de faire cet été, mais j'attendrai de connaître tes projets avant de décider de ce que je ferai moi-même ; si je peux t'être utile. . .

— Je n'y ai pas encore beaucoup pensé, lui répondis-je. Peut-être essaierai-je de voyager.

Elle reprit :

— Tu sais que, chez moi comme à Fongueusemare, tu seras toujours le bienvenu. Tu feras plaisir à ton oncle et à Juliette en allant là-bas. . .

—Vous voulez dire à Alissa.

— C'est vrai ! Pardon. . . Croirais-tu que je m'étais figuré que c'était Juliette que tu aimais ! jusqu'à ce que ton oncle m'eût parlé . . . il n'y a pas un mois. . . Tu sais, moi, je vous aime bien, mais je ne vous connais pas beaucoup ; j'ai si peu l'occasion de vous voir ! . . . et puis je ne suis guère observatrice ; je n'ai pas le temps de m'arrêter à regarder ce qui ne me regarde pas. C'est toujours avec Juliette que je t'avais vu jouer . . . j'avais pensé . . . elle est si jolie, si gaie.

— Oui, je joue encore volontiers avec elle mais c'est Alissa que j'aime . . .

— Très bien ! très bien, libre à toi . . .* moi, tu sais, autant le dire que je ne la connais pas ; elle parle moins que sa sœur ; je pense que, si tu l'as choisie, tu as eu quelque bonne raison pour cela.

— Mais, ma tante, je n'ai pas choisi de l'aimer et je ne me suis jamais demandé quelles raisons j'avais de. . .

— Ne te fâche pas, Jérôme ; moi je te parle sans malice. . .* Tu m'as fait oublier ce que je voulais te dire. . . Ah ! voici : Je pense, bien entendu, que tout cela finira par un mariage ; mais, à cause de ton deuil, tu ne peux pas te fiancer déjà, décemment . . .* et puis, tu es encore bien jeune. . . J'ai pensé que ta présence à Fongueusemare, à présent que tu y serais sans ta mère, pourrait être mal vue. . .*

— Mais, ma tante, c'est précisément pour cela que je parlais de voyager.

— Oui. Eh bien ! mon enfant, j'ai pensé que ma présence à moi pourrait faciliter les choses et je me suis arrangée de manière à être libre une partie de l'été.

— Pour peu que je l'en eusse priée, Miss Ashburton serait venue volontiers.

— Je sais déjà qu'elle viendra. Mais cela ne suffit pas ! J'irai également... Oh ! je n'ai pas la prétention de remplacer ta pauvre mère, ajouta-t-elle, en sanglotant subitement ; — mais je m'occuperai du ménage ... et enfin* ni toi, ni ton oncle, ni Alissa n'aurez à vous sentir gênés.

Ma tante Félicie s'abusait sur l'efficacité de sa présence. A vrai dire, nous ne fûmes gênés* que par elle. Ainsi qu'elle l'avait annoncé, elle s'installa, dès juillet, à Fongueusemare, où Miss Ashburton et moi ne tardâmes pas à la rejoindre. Sous prétexte d'aider Alissa dans les soins de la maison, elle emplissait cette maison si tranquille d'une rumeur continue. L'empressement qu'elle mettait à nous être agréable et, comme elle disait, à « faciliter les choses », était si épais que nous restions le plus souvent, Alissa et moi, contraints et quasi muets devant elle. Elle dut nous trouver bien froids... —Et quand nous ne nous serions pas tus, aurait-elle pu comprendre la nature de notre amour ? — Le caractère de Juliette, par contre, s'accommodait assez de cette exubérance ; et peut-être quelque ressentiment gênait-il mon affection pour ma tante, à la voir manifester pour la cadette de ses nièces une prédilection très marquée.

Un matin, après l'arrivée du courrier, elle me fit venir :

— Mon pauvre Jérôme, je suis absolument désolée ; ma fille est souffrante et m'appelle ; je vais être forcée de vous quitter...

Gonflé d'inutiles scrupules, j'allai trouver mon oncle, ne sachant plus si j'oserais rester à Fongueusemare après le départ de ma tante. Mais dès les premiers mots :

— Qu'est-ce que ma pauvre sœur vient encore imaginer pour compliquer les choses les plus naturelles ? Eh ! pourquoi nous quitterais-tu, Jérôme ? s'écria-t-il. N'es-tu pas déjà presque mon enfant ?

Ma tante n'était guère restée à Fongueusemare que quinze jours. Dès qu'elle fut partie, la maison put se recueillir ;* cette sérénité de nouveau l'habita qui ressemblait beaucoup au bonheur. Mon deuil n'avait pas assombri, mais comme aggravé notre amour. Une vie au monotone cours commença où, comme en un milieu très sonore, le moindre mouvement de nos cœurs s'entendait.

Quelques jours après le départ de ma tante, un soir, à table, nous parlâmes d'elle — je me souviens :

— Quelle agitation ! disions-nous. Se peut-il que les flots de la vie ne laissent pas plus de répit à son âme ? Belle apparence* de l'amour, que devient ici ton reflet ? — . . . Car nous nous souvenions du mot de Gœthe* qui, parlant de Mme de Stein,* écrivait : « Il serait beau de voir se réfléchir le monde dans cette âme.» Et nous établissions aussitôt je ne sais quelle hiérarchie, estimant au plus haut* les facultés contemplatives. Mon oncle, qui s'était tu jusqu'alors, nous reprit en souriant tristement :

— Mes enfants, dit-il, même brisée, Dieu reconnaîtra son image. Gardons-nous de juger les hommes d'après un seul moment de leur vie. Tout ce qui vous déplaît en ma pauvre sœur, elle le doit à des événements que je connais trop pour pouvoir la critiquer aussi sévèrement que vous faites. Il n'y a pas qualité si plaisante de la jeunesse qui ne puisse, à vieillir, se gâter.* Ce que vous appelez : agitation, chez Félicie, n'était d'abord qu'élan charmant, prime-saut,* abandon à l'instant et grâce. . . Nous n'étions pas bien différents, je vous assure, de ce que vous paraissez aujourd'hui. J'étais assez pareil à toi, Jérôme ; plus peut-être que je ne le sais. Félicie ressemblait beaucoup à ce qu'est à présent Juliette . . . oui, physiquement même — et brusquement je la retrouve,* ajouta-t-il en se tournant vers sa fille, dans certains éclats* de ta voix ; elle avait ton sourire — et ce geste,* qu'elle a

...t perdu, de rester comme toi, parfois, sans rien faire, assise, les coudes en avant, le front buté dans les doigts croisés de ses mains.

Miss Ashburton se tourna vers moi, et presque à voix basse :

— Ta mère, c'est Alissa qui la rappelle.

L'été, cette année, fut splendide. Tout semblait pénétré d'azur. Notre ferveur triomphait du mal, de la mort ; l'ombre reculait devant nous. Chaque matin j'étais éveillé par ma joie ; je me levais dès l'aurore, à la rencontre du jour m'élançais. . . Quand je rêve à ce temps, je le revois plein de rosée. Juliette, plus matinale que sa sœur qui prolongeait très tard ses veillées,* descendait avec moi dans le jardin. Entre sa sœur et moi elle se faisait messagère ; je lui racontais interminablement notre amour et elle ne semblait pas se lasser de m'entendre. Je lui disais ce que je n'osais dire à Alissa, devant qui, par excès d'amour, je devenais craintif et contraint. Alissa semblait se prêter à ce jeu, s'amuser que je parlasse si gaiement à sa sœur, ignorant ou feignant d'ignorer qu'au demeurant nous ne parlions que d'elle.

O feinte exquise de l'amour, de l'excès même de l'amour, par quel secret chemin tu nous menas du rire aux pleurs et de la plus naïve joie à l'exigence de la vertu !

L'été fuyait si pur, si lisse que, de ses glissantes journées, ma mémoire aujourd'hui ne peut presque rien retenir. Les seuls événements étaient des conversations, des lectures. . .

— J'ai fait un triste rêve, me dit Alissa, au matin d'un de mes derniers jours de vacances. Je vivais et tu étais mort. Non ; je ne te voyais pas mourir. Simplement il y avait ceci : tu étais mort. C'était affreux ; c'était tellement impossible que j'obtenais que simplement tu sois absent. Nous étions séparés et je sentais qu'il y avait moyen de te rejoindre ;

je cherchais comment, et, pour y arriver, j'ai fait u
que cela m'a réveillée.

« Ce matin, je crois que je restais sous l'impression de ce rêve ; c'était comme si je le continuais. Il me semblait encore que j'étais séparée de toi, que j'allais rester séparée de toi longtemps, longtemps — et très bas elle ajouta : toute ma vie — et que toute la vie il faudrait faire un grand effort. . .

— Pourquoi ?

— Chacun, un grand effort pour nous rejoindre.

Je ne prenais pas au sérieux ou craignais de prendre au sérieux ses paroles. Comme pour y protester, mon cœur battant beaucoup, dans un soudain courage je lui dis :

— Eh bien moi, ce matin, j'ai rêvé que j'allais t'épouser si fort* que rien, rien ne pourrait nous séparer — que la mort.

— Tu crois que la mort peut séparer ? reprit-elle.

— Je veux dire. . .

— Je pense qu'elle peut rapprocher, au contraire . . . oui, rapprocher ce qui a été séparé pendant la vie.

Tout cela entrait en nous si avant que j'entends encore jusqu'à l'intonation de nos paroles. Pourtant je ne compris toute leur gravité que plus tard.

L'été fuyait. Déjà la plupart des champs étaient vides, où la vue plus inespérément s'étendait.* La veille, non : l'avant-veille de mon départ, au soir, je descendais avec Juliette vers le bosquet du bas-jardin.

— Qu'est-ce que tu récitais hier à Alissa ? me dit-elle.

— Quand donc ?

— Sur le banc de la marnière, quand nous vous avions laissés derrière nous. . .

— Ah ! . . . quelques vers de Baudelaire,* je crois. . .

— Lesquels ? . . . Tu ne veux pas me le dire.

— *Bientôt nous plongerons dans les froides ténèbres*,

commençai-je d'assez mauvaise grâce ; mais elle, m'interrompant aussitôt, continua d'une voix tremblante et changée :

— *Adieu ! vive clarté de nos étés trop courts !*

— Eh quoi ! tu les connais ? m'écriai-je, extrêmement surpris. Je croyais que tu n'aimais pas les vers. . .

— Pourquoi donc ? Est-ce parce que tu ne m'en récites pas ? dit-elle en riant, mais un peu contrainte. . . Par moment tu sembles me croire complètement stupide.

— On peut être très intelligent et n'aimer pas* les vers. Jamais je ne t'en ai entendu dire ou tu ne m'as demandé d'en réciter.

— Parce qu'Alissa s'en charge. . . Elle se tut quelques instants, puis brusquement :

— C'est après-demain que tu pars ?

— Il le faut bien.

— Qu'est-ce que tu vas faire cet hiver ?

— Ma première année de Normale.*

— Quand penses-tu épouser Alissa ?

— Pas avant mon service militaire. Pas même avant de savoir un peu mieux ce que je veux faire ensuite.

— Tu ne le sais donc pas encore ?

— Je ne veux pas encore le savoir. Trop de choses m'intéressent. Je diffère le plus que je peux le moment où il me faudra choisir et ne plus faire que cela.

— Est-ce aussi la crainte de te fixer* qui te fait différer tes fiançailles ?

Je haussai les épaules sans répondre. Elle insista :

— Alors, qu'est-ce que vous attendez pour vous fiancer ? Pourquoi est-ce que vous ne vous fiancez pas tout de suite ?

— Mais pourquoi nous fiancerions-nous ? Ne nous suffit-il pas de savoir que nous sommes et que nous resterons l'un à l'autre,* sans que le monde en soit informé ? S'il me plaît d'engager toute ma vie pour elle, trouverais-tu plus beau que je lie mon amour par des promesses ? Pas moi. Des vœux me sembleraient une injure à l'amour. . . Je ne désirerais me fiancer que si je me défiais d'elle.

— Ce n'est pas d'elle que je me défie. . .

Nous marchions lentement. Nous étions parvenus à ce point du jardin d'où j'avais naguère involontairement entendu la conversation qu'Alissa avait eue avec son père. Il me vint brusquement à la pensée que peut-être Alissa, que j'avais vue sortir dans le jardin, était assise dans le rond-point et qu'elle pouvait également bien nous entendre ; la possibilité de lui faire écouter ce que je n'osais lui dire directement me séduisit aussitôt ; amusé par mon artifice, haussant la voix :

— Oh ! m'écriai-je, avec cette exaltation un peu pompeuse de mon âge, et prêtant trop d'attention à mes paroles pour entendre à travers celles de Juliette tout ce qu'elle ne disait pas. . . Oh ! si seulement nous pouvions, nous penchant sur l'âme qu'on aime, voir en elle, comme en un miroir, quelle image nous y posons ! lire en autrui comme en nous-mêmes, mieux qu'en nous-mêmes ! Quelle tranquillité dans la tendresse ! Quelle pureté dans l'amour ! . . .

J'eus la fatuité de prendre pour un effet de mon médiocre lyrisme le trouble de Juliette. Elle cacha brusquement sa tête sur mon épaule.

— Jérôme ! Jérôme ! Je voudrais être sûre que tu la rendras heureuse ! Si par toi aussi elle devait souffrir, je crois que je te détesterais.

— Mais, Juliette, m'écriai-je, l'embrassant et relevant son front, je me détesterais moi-même. Si tu savais ! . . . mais c'est pour mieux ne commencer qu'avec elle ma vie que je ne veux pas encore décider de ma carrière ! mais je suspends tout mon avenir après elle !* mais, tout ce que je pourrais être sans elle, je n'en veux pas . . .

— Qu'est-ce qu'elle dit lorsque tu lui parles de cela ?

— Mais je ne lui parle jamais de cela ! Jamais ; c'est aussi pour cela que nous ne nous fiançons pas encore ; jamais il n'est question de mariage entre nous, ni de ce que nous ons ensuite. O Juliette ! la vie avec elle m'apparaît tellement belle que je n'ose pas . . . comprends-tu cela ? que je n'ose pas lui en parler.

— Tu veux que le bonheur la surprenne.

— Non ! ce n'est pas cela. Mais j'ai peur . . . de lui faire peur, comprends-tu ? . . . J'ai peur que cet immense bonheur, que j'entrevois, ne l'effraie ! — Un jour, je lui ai demandé si elle souhaitait voyager. Elle m'a dit qu'elle ne souhaitait rien, et qu'il lui suffisait de savoir que ces pays existaient, qu'ils étaient beaux, qu'il était permis à d'autres d'y aller. . .

— Toi, Jérôme, tu désires voyager ?

— Partout ! la vie tout entière m'apparaît comme un long voyage — avec elle, à travers les livres, les hommes, les pays. . . Songes-tu à ce que signifient ces mots : lever l'ancre ?*

— Oui ; j'y pense souvent, murmura-t-elle. Mais moi qui l'écoutais à peine et qui laissais tomber à terre ses paroles comme de pauvres oiseaux blessés, je reprenais :

— Partir la nuit ; se réveiller dans l'éblouissement de l'aurore : se sentir tous deux seuls sur l'incertitude des flots. . .

— Et l'arrivée dans un port que tout enfant déjà l'on avait regardé sur les cartes ; où tout est inconnu. . . Je t'imagine sur la passerelle, descendant du bateau avec Alissa appuyée à ton bras.

— Nous irions vite à la poste, ajoutai-je en riant, réclamer la lettre que Juliette nous aurait écrite. . .

— De Fongueusemare, où elle serait restée, et qui vous apparaîtrait tout petit, tout triste et tout loin. . .

Sont-ce là précisément ses paroles ? je ne puis l'affirmer, car, je vous le dis, j'étais si plein de mon amour qu'à peine entendais-je, auprès, quelque autre expression que la sienne.

Nous arrivions près du rond-point ; nous allions revenir sur nos pas, quand, sortant de l'ombre, Alissa se montra tout à coup. Elle était si pâle que Juliette se récria.

— En effet, je ne me sens pas très bien, balbutia hâtivement

Alissa. L'air est frais. Je crois que je ferais mieux de rentrer. Et tout aussitôt nous quittant, elle s'en retourna d'un pas rapide, vers la maison.

— Elle a entendu ce que nous disions, s'écria Juliette dès qu'Alissa se fut un peu éloignée.

— Mais nous n'avons rien dit qui puisse la peiner. Au contraire. . .

— Laisse-moi, dit-elle en s'élançant à la poursuite de sa sœur.

Cette nuit, je ne pus dormir. Alissa avait paru au dîner, puis s'était retirée aussitôt après, se plaignant de migraine. Qu'avait-elle entendu de notre conversation ? Et je me remémorais inquiètement nos paroles. Puis je songeais que peut-être j'avais eu tort, marchant trop près de Juliette, d'abandonner mon bras autour d'elle ; mais c'était habitude d'enfant ; et maintes fois déjà Alissa nous avait vus marchant ainsi. Ah ! triste aveugle que j'étais, cherchant mes torts en tâtonnant, de n'avoir pas songé un instant que les paroles de Juliette, que j'avais si mal écoutées et dont je me souvenais si mal, Alissa les avait peut-être mieux entendues. N'importe ! égaré par mon inquiétude, épouvanté à l'idée qu'Alissa pût douter de moi, et n'imaginant pas d'autre péril, je me résolus, malgré ce que j'en avais pu dire* à Juliette, et peut-être impressionné par ce qu'elle m'en avait dit, je me résolus à vaincre mes scrupules, mon appréhension et à me fiancer le lendemain.

C'était la veille de mon départ. Je pouvais attribuer à cela sa tristesse. Il me parut qu'elle m'évitait. Le jour passait sans que j'eusse pu la rencontrer seule ; la crainte de devoir partir avant de lui avoir parlé me poussa jusque dans sa chambre peu de temps avant le dîner ; elle mettait un collier de corail et pour l'attacher levait les bras et se [illegible] tournant le dos à la porte et regardant par-dessus [illegible]le, dans un miroir entre deux flambeaux allumés. C'est dans le miroir qu'elle me vit d'abord et qu'elle continua de me regarder quelques instants, sans se retourner.

— Tiens ! Ma porte n'était donc pas fermée, dit-elle.

— J'ai frappé ; tu n'as pas répondu. Alissa, tu sais que je pars demain ?

Elle ne répondit rien, mais posa sur la cheminée le collier qu'elle ne parvenait pas à agrafer. Le mot : fiançailles me paraissait trop nu, trop brutal ; j'employai je ne sais quelle périphrase à la place. Dès qu'Alissa me comprit, il me parut qu'elle chancela, s'appuya contre la cheminée . . . mais j'étais moi-même si tremblant que craintivement j'évitais de regarder vers elle.

J'étais près d'elle et, sans lever les yeux, lui pris la main ; elle ne se dégagea pas, mais, inclinant un peu son visage et soulevant un peu ma main, elle y posa ses lèvres et murmura, appuyée à demi contre moi :

— Non, Jérôme ; non ; ne nous fiançons pas, je t'en prie. . .

Mon cœur battait si fort que je crois qu'elle le sentit ; elle reprit plus tendrement : — Non ; pas encore. . .

Et comme je lui demandais :

— Pourquoi ?

— Mais c'est moi qui peux te demander : pourquoi ? pourquoi changer ?

Je n'osais lui parler de la conversation de la veille, mais sans doute elle sentit que j'y pensais, et, comme une réponse à ma pensée, dit en me regardant fixement :

— Tu te méprends, mon ami : je n'ai pas besoin de tant de bonheur. Ne sommes-nous pas heureux ainsi ?

Elle s'efforçait en vain à* sourire.

— Non, puisque je dois te quitter.

— Écoute, Jérôme, je ne puis te parler ce soir. . . Ne gâtons pas nos derniers instants. . . Non ; non. Je t'aime autant que jamais ; rassure-toi. Je t'écrirai ; je t'expliquerai. Je te promets de t'écrire, dès demain . . . dès que tu seras parti. Va maintenant ! Tiens, voici que je pleure . . . laisse-moi.

Elle me repoussait, m'arrachait d'elle doucement — et ce furent là nos adieux, car ce soir je ne pus plus rien lui dire, et le lendemain, au moment de mon départ, elle s'enferma dans sa chambre. Je la vis à sa fenêtre me faire signe d'adieu en regardant s'éloigner la voiture qui m'emportait.

III

Je n'avais presque pas pu voir Abel Vautier cette année ; devançant l'appel, il s'était engagé, tandis que je préparais ma licence* en redoublant une rhétorique.* De deux ans moins âgé qu'Abel, j'avais remis mon service* à la sortie de l'École Normale,* où tous deux nous devions entrer cette année.

Nous nous revîmes avec plaisir. Au sortir de l'armée, il avait voyagé plus d'un mois. Je craignais de le trouver changé ; simplement il avait pris plus d'assurance, mais sans rien perdre de sa séduction. L'après-midi qui précéda la rentrée, et que nous passâmes au Luxembourg,* je ne pus retenir ma confidence et lui parlai longuement de mon amour, que, du reste, il connaissait déjà. Il avait, cette année, acquis quelque pratique des femmes, ce qui lui permettait un air de supériorité un peu fat, mais dont je ne m'offensai point. Il me plaisanta pour ce que je n'avais pas su poser mon dernier mot,* comme il disait, émettant en axiome qu'il ne faut jamais laisser une femme se ressaisir. Je le laissai dire, mais pensai que ses excellents arguments n'étaient bons ni pour moi ni pour elle et qu'il montrait tout simplement qu'il ne nous comprenait pas bien.

Le lendemain de notre arrivée, je reçus cette lettre :

Mon cher Jérôme,

J'ai beaucoup réfléchi à ce que tu me proposais [*ce que je proposais ! appeler ainsi nos fiançailles !*]. J'ai peur d'être trop âgée pour toi. Cela ne te paraît peut-être pas encore parce que tu n'as pas encore eu l'occasion de voir d'autres femmes ; mais je songe à ce que je souffrirais plus tard, après m'être donnée à toi, si je vois que je ne puis plus te plaire. Tu vas t'indigner beaucoup, sans doute, en me lisant ; je crois entendre tes protestations ; pourtant je te demande d'attendre encore que tu sois un peu plus avancé dans la vie.

Comprends que je ne parle ici que pour toi-même, car pour moi je crois bien que je ne pourrai jamais cesser de t'aimer.

Alissa

Cesser de nous aimer ! Mais pouvait-il être question de cela ! — J'étais encore plus étonné qu'attristé, mais si bouleversé que je courus aussitôt montrer cette lettre à Abel.

— Eh bien ! que comptes-tu faire ? dit celui-ci, après avoir lu la lettre en hochant la tête et les lèvres serrées. Je soulevai les bras, plein d'incertitude et de désolation. — J'espère au moins que tu ne vas pas répondre ! Quand on commence à discuter avec une femme, on est perdu. . . Écoute : en couchant au Havre samedi, nous pouvons être à Fongueusemare dimanche matin et rentrer ici pour le premier cours de lundi. Je n'ai pas revu tes parents depuis mon service ; c'est un prétexte suffisant et qui me fait honneur. Si Alissa voit que ce n'est qu'un prétexte, tant mieux ! Je m'occuperai de Juliette pendant que tu causeras avec sa sœur. Tu tâcheras de ne pas faire l'enfant. . . A vrai dire, il y a dans ton histoire quelque chose que je ne m'explique pas bien ; tu n'as pas dû tout me raconter. . .* N'importe ! J'éclaircirai ça. . . Surtout n'annonce pas notre arrivée : il faut surprendre ta cousine et ne pas lui laisser le temps de s'armer.

Le cœur me battait fort en poussant* la barrière du jardin. Juliette aussitôt vint à notre rencontre en courant. Alissa, occupée à la lingerie, ne se hâta pas de descendre. Nous causions avec mon oncle et Miss Ashburton lorsqu'enfin elle entra dans le salon. Si notre brusque arrivée l'avait troublée, du moins sut-elle n'en rien laisser voir ; je pensais à ce que m'avait dit Abel et que c'était précisément pour s'armer contre moi qu'elle était restée si longtemps sans paraître. L'extrême animation de Juliette faisait paraître encore plus froide sa réserve. Je sentis qu'elle désapprouvait mon retour ; du moins cherchait-elle à montrer dans son air une désapprobation derrière laquelle je n'osais chercher une secrète émotion plus vive. Assise assez loin de nous, dans un coin, près d'une fenêtre, elle paraissait tout absorbée dans un ouvrage de broderie, dont elle repérait les points en remuant les lèvres. Abel parlait ; heureusement ! car, pour moi, je ne m'en sentais pas la force, et sans les récits qu'il faisait de son année de service et de son voyage, les premiers instants de ce revoir eussent été mornes. Mon oncle lui-même semblait particulièrement soucieux.

Sitôt après le déjeuner, Juliette me prit à part et m'entraîna dans le jardin :

— Figure-toi qu'on me demande en mariage ! s'écria-t-elle dès que nous fûmes seuls. La tante Félicie a écrit hier à papa pour lui faire part des avances d'un viticulteur de Nîmes ;* quelqu'un de très bien, affirme-t-elle, qui s'est épris de moi pour m'avoir rencontrée quelquefois dans le monde* ce printemps.

— Tu l'as remarqué, ce Monsieur ? interrogeai-je avec une involontaire hostilité contre le prétendant.

— Oui, je vois bien qui c'est. Une espèce de Don Quichotte* bon enfant, sans culture, très laid, très vulgaire, assez ridicule et devant qui la tante ne pouvait garder son sérieux.

— Est-ce qu'il a . . . des chances ? dis-je, sur un ton moqueur.

— Voyons, Jérôme ! Tu plaisantes ! Un négociant ! . . .* Si tu l'avais vu, tu ne m'aurais pas posé la question.

— Et . . . qu'est-ce que mon oncle a répondu ?

— Ce que j'ai répondu moi-même : que j'étais trop jeune

pour me marier. . . Malheureusement, ajouta-t-elle en riant, ma tante avait prévu l'objection ; dans un post-scriptum elle dit que M. Edouard Teissières, c'est son nom, consent à attendre, qu'il se déclare aussitôt simplement pour « prendre rang » . . .* C'est absurde ; mais qu'est-ce que tu veux que j'y fasse ? Je ne peux pourtant pas lui faire dire qu'il est trop laid !

— Non, mais que tu ne veux pas épouser un viticulteur.

Elle haussa les épaules :

— Ce sont des raisons qui n'ont pas cours dans l'esprit de ma tante . . . Laissons cela. — Alissa t'a écrit ?

Elle parlait avec une volubilité extrême et semblait dans une grande agitation. Je lui tendis la lettre d'Alissa, qu'elle lut en rougissant beaucoup. Je crus distinguer un accent de colère dans sa voix quand elle me demanda :

— Alors qu'est-ce que tu vas faire ?

— Je ne sais plus, répondis-je. A présent que je suis ici, je sens que j'aurais plus facilement fait d'écrire,* et je me reproche déjà d'être venu. Tu comprends ce qu'elle a voulu dire ?

— Je comprends qu'elle veut te laisser libre.

— Mais est-ce que j'y tiens, moi, à ma liberté ! Et tu comprends pourquoi elle m'écrit cela ?

Elle me répondit : Non, si sèchement que, sans du tout pressentir la vérité, du moins me persuadai-je dès cet instant que Juliette n'en était peut-être pas ignorante. — Puis, brusquement, tournant sur elle-même à un détour de l'allée que nous suivions :

— A présent laisse-moi. Ce n'est pas pour causer avec moi que tu es venu. Nous sommes depuis bien trop longtemps ensemble.

Elle s'enfuit en courant vers la maison et un instant après je l'entendis au piano.

Quand je rentrai dans le salon, elle causait, sans s'arrêter de jouer, mais indolemment à présent et comme improvisant au hasard, avec Abel qui était venu la rejoindre. Je les laissai. J'errai assez longtemps dans le jardin à la recherche d'Alissa.

Elle était au fond du verger, cueillant au pied d'un mur bas les premiers chrysanthèmes qui mêlaient leur parfum à celui des feuilles mortes de la hêtraie. L'air était saturé d'automne. Le soleil ne tiédissait plus qu'à peine* les espaliers, mais le ciel était orientalement pur. Elle avait le visage encadré, caché presque au fond d'une grande coiffe zélandaise* qu'Abel lui avait rapportée de voyage et qu'elle avait mise aussitôt. Elle ne se retourna pas d'abord à mon approche, mais un léger tressaillement qu'elle ne put réprimer m'avertit qu'elle avait reconnu mon pas ; et déjà je me raidissais, m'encourageais contre ses reproches et la sévérité qu'allait faire peser sur moi son regard. Mais lorsque je fus assez près, comme craintivement je ralentissais déjà mon allure, elle, sans d'abord tourner le front vers moi, mais le gardant baissé comme fait un enfant boudeur, tendit vers moi, presque en arrière, la main qu'elle avait pleine de fleurs, semblant m'inviter à venir. Et comme, au contraire, par jeu, à ce geste je m'arrêtais, elle, se retournant enfin, fit vers moi quelques pas, relevant son visage, et je le vis plein de sourire. Éclairé par son regard, tout me parut soudain de nouveau simple, aisé, de sorte que, sans effort et d'une voix non changée, je commençai :

— C'est ta lettre qui m'a fait revenir.

— Je m'en suis bien doutée, dit-elle, puis, émoussant par l'inflexion de sa voix l'aiguillon* de sa réprimande : — et c'est bien là ce qui me fâche. Pourquoi as-tu mal pris ce que je disais ? C'était pourtant bien simple. . . (Et déjà tristesse et difficulté ne m'apparaissaient plus en effet qu'imaginaires, n'existaient plus qu'en mon esprit.) Nous étions heureux ainsi, je te l'avais bien dit ; pourquoi t'étonner que je refuse lorsque tu me proposes de changer ?

En effet, je me sentais heureux auprès d'elle, si parfaitement heureux que ma pensée allait chercher à ne différer plus en rien de la sienne ; et déjà je ne souhaitais plus rien au delà de son sourire, et que de marcher avec elle, ainsi, dans un tiède chemin bordé de fleurs, en lui donnant la main.

— Si tu le préfères, lui dis-je gravement, résignant d'un coup tout autre espoir et m'abandonnant au parfait bonheur de l'instant, — si tu le préfères, nous ne nous fiancerons pas. Quand j'ai reçu ta lettre, j'ai bien compris du même coup que j'étais heureux en effet, et que j'allais cesser de l'être. Oh ! rends-moi ce bonheur que j'avais ; je ne puis pas m'en passer. Je t'aime assez pour t'attendre toute ma vie ; mais, que tu doives cesser de m'aimer ou que tu doutes de mon amour, Alissa, cette pensée m'est insupportable.

— Hélas ! Jérôme, je n'en puis pas douter.

Et sa voix en me disant cela était à la fois calme et triste ; mais le sourire qui l'illuminait restait si sereinement beau que je prenais honte de mes craintes et de mes protestations ; il me semblait alors que d'elles seules vînt cet arrière-son* de tristesse que je sentais au fond de sa voix. Sans aucune transition je commençai à parler de mes projets, de mes études et de cette nouvelle forme de vie de laquelle je me promettais tant de profit. L'École Normale n'était pas alors ce qu'elle est devenue depuis peu ; une discipline assez rigoureuse ne pesait qu'aux esprits indolents ou rétifs ; elle favorisait l'effort d'une volonté studieuse. Il me plaisait que cette habitude* quasi-monacale me préservât d'un monde qui, du reste, m'attirait peu et qu'il m'eût suffi qu'Alissa pût craindre* pour m'apparaître* haïssable aussitôt. Miss Ashburton gardait à Paris l'appartement qu'elle occupait d'abord avec ma mère. Ne connaissant guère qu'elle à Paris, Abel et moi passerions quelques heures de chaque dimanche auprès d'elle ; chaque dimanche j'écrirais à Alissa et ne lui laisserais rien ignorer de ma vie. . .

Nous étions assis à présent sur le cadre des châssis ouverts qui laissaient déborder au hasard d'énormes tiges de concombres dont les derniers fruits étaient cueillis. Alissa m'écoutait, me questionnait ; jamais encore je n'avais senti sa tendresse plus attentive, ni son affection plus pressante. Crainte, souci, même le plus léger émoi s'évaporait dans son sourire, se résorbait* dans cette intimité charmante, comme les brumes dans le parfait azur du ciel.

Puis, sur un banc de la hêtraie où Juliette et Abel étaient venus nous rejoindre, nous occupâmes la fin du jour à relire *le Triomphe du Temps*, de Swinburne,* chacun de nous en lisant tour à tour une strophe. Le soir vint.

— Allons ! dit Alissa en m'embrassant, au moment de notre départ, plaisantant à demi, mais pourtant avec cet air de sœur aînée que peut-être ma conduite inconsidérée l'invitait à prendre et qu'elle prenait volontiers. — Promets-moi maintenant de n'être plus si romanesque désormais. . .

— Eh bien ! Es-tu fiancé ? me demanda Abel dès que nous fûmes seuls de nouveau.

— Mon cher, il n'en est plus question, répondis-je, ajoutant aussitôt, d'un ton qui coupait court à toute nouvelle question : — Et cela vaut beaucoup mieux ainsi. Jamais je n'ai été plus heureux que ce soir.

— Moi non plus, s'écria-t-il ; puis, brusquement, me sautant au cou : — Je m'en vais te dire quelque chose d'admirable, d'extraordinaire ! Jérôme, je suis amoureux fou de Juliette ! Déjà je m'en doutais un peu l'an dernier ; mais j'ai vécu depuis, et je n'avais rien voulu te dire avant d'avoir revu tes cousines. A présent, c'en est fait ; ma vie est prise.*

J'aime, que dis-je aimer — j'idolâtre Juliette !*

Depuis longtemps il me semblait bien que j'avais pour toi une espèce d'affection de beau-frère. . .

Puis, riant et jouant, il m'embrassait à tour de bras et se roulait comme un enfant sur les coussins du wagon qui nous ramenait à Paris. J'étais tout suffoqué* par son aveu, et quelque peu gêné par l'appoint* de littérature* que je sentais s'y mêler ; mais le moyen de résister à tant de véhémence et de joie ? . . .

— Enfin quoi : t'es-tu déclaré ? parvins-je à lui demander entre deux effusions.

— Mais non ! mais non, s'écria-t-il ; je ne veux pas brûler* le plus charmant chapitre de l'histoire.*

Le meilleur moment des amours
*N'est pas quand on a dit : je t'aime . . .**

Voyons ! tu ne vas pas me reprocher cela, toi, le maître de la lenteur.

— Mais enfin, repris-je un peu agacé, penses-tu qu'elle, de son côté. . .

— Tu n'as donc pas remarqué son trouble en me revoyant ! Et tout le temps de notre visite, cette agitation, ces rougeurs, cette profusion de paroles !. . . Non, tu n'as rien remarqué, naturellement ; parce que tu es tout occupé d'Alissa. . . Et comme elle me questionnait ! comme elle buvait mes paroles ! Son intelligence s'est rudement développée, depuis un an. Je ne sais où tu avais pu prendre qu'elle n'aimait pas la lecture ; tu crois toujours qu'il n'y en a que pour Alissa. . .* Mais, mon cher, c'est étonnant tout ce qu'elle connaît ! Sais-tu à quoi nous nous sommes amusés avant le dîner ? A nous remémorer une *Canzone** du Dante ; chacun de nous récitait un vers ; et elle me reprenait quand je me trompais. Tu sais bien :

*Amor che nella mente mi ragiona.**

Tu ne m'avais pas dit qu'elle avait appris l'italien.

— Je ne le savais pas moi-même, dis-je assez surpris.

— Comment ! Au moment de commencer la *Canzone*, elle m'a dit que c'était toi qui la lui avais fait connaître.*

— Elle m'aura sans doute entendu la lire à sa sœur, un jour qu'elle cousait ou brodait auprès de nous, comme elle fait souvent ; mais du diable si elle a laissé paraître qu'elle comprenait.

— Vrai ! Alissa et toi, vous êtes stupéfiants d'égoïsme. Vous voilà tout confits* dans votre amour, et vous n'avez pas un regard pour l'éclosion admirable de cette intelligence, de cette âme ! Ce n'est pas pour me faire un compliment, mais tout de même il était temps que j'arrive. . . Mais non, mais non, je ne t'en veux pas, tu vois bien, disait-il en m'embrassant encore. Seulement, promets-moi : pas un mot de tout ça à Alissa. Je prétends mener mon affaire tout seul. Juliette est prise, c'est certain, et assez pour que j'ose la laisser jusqu'aux prochaines vacances. Je pense même ne pas lui écrire d'ici là. Mais, le congé du nouvel an, toi et moi nous irons le passer au Havre, et alors. . .

— Et alors ? . . .

— Eh bien ! Alissa apprendra tout d'un coup nos fiançailles. Je compte mener ça rondement. Et sais-tu ce qui va se passer ? Ce consentement d'Alissa, que tu n'es pas capable de décrocher, je te l'obtiendrai par la force de notre exemple. Nous lui persuaderons qu'on ne peut célébrer notre mariage avant le vôtre. . .

Il continuait, me submergeait sous un intarissable flux de paroles qui ne s'arrêta même pas à l'arrivée du train à Paris, même pas à notre rentrée à Normale, car, bien que nous eussions fait à pied le chemin de la gare à l'École, et malgré l'heure avancée de la nuit, Abel m'accompagna dans ma chambre, où nous prolongeâmes la conversation jusqu'au matin.

L'enthousiasme d'Abel disposait du présent et de l'avenir. Il voyait, racontait déjà nos doubles noces ; imaginait, peignait la surprise et la joie de chacun ; s'éprenait de la beauté de notre histoire, de notre amitié, de son rôle dans mes amours.*

Je me défendais mal contre une si flatteuse chaleur, m'en sentais enfin pénétrer et cédais doucement à l'attrait de ses propositions chimériques. A la faveur de notre amour, se gonflaient notre ambition et notre courage ; à peine au sortir de l'École, notre double mariage béni par le pasteur Vautier, nous partions* tous les quatre en voyage ; puis nous lancions* dans d'énormes travaux, où nos femmes devenaient volontiers nos collaboratrices. Abel, que le professorat* attirait peu et qui se croyait né pour écrire, gagnait rapidement, au moyen de quelques pièces à succès, la fortune qui lui manquait ; pour moi, plus attiré par l'étude que par le profit qui peut en revenir, je pensais m'adonner à celle de la philosophie religieuse, dont je projetais d'écrire l'histoire. . . Mais que sert de rappeler ici tant d'espoirs ?

Le lendemain nous nous plongeâmes dans le travail.

IV

Le temps, jusqu'aux vacances du nouvel an, était si court que, tout exaltée par mon dernier entretien avec Alissa, ma foi put ne pas défaillir un instant. Ainsi que je me l'étais promis, je lui écrivais très longuement chaque dimanche ; les autres jours, me tenant à l'écart de mes camarades, et ne fréquentant guère qu'Abel, je vivais avec la pensée d'Alissa et couvrais mes livres favoris d'indications* à son usage, soumettant* à l'intérêt qu'elle y pourrait prendre l'intérêt que moi-même y cherchais.* Ses lettres ne laissaient pas de m'inquiéter ; encore qu'elle répondît assez régulièrement aux miennes, je croyais voir plutôt, dans son zèle à me suivre, un souci d'encourager mon travail, qu'un entraînement* de son esprit ; et même il me semblait, tandis qu'appréciations, discussions, critiques ne m'étaient qu'un moyen d'exprimer ma pensée, qu'au contraire elle s'aidât de tout cela pour me cacher la sienne. Parfois je doutais si elle ne s'en faisait pas un jeu. . . N'importe ! bien résolu à ne me plaindre de rien, je ne laissais dans mes lettres rien percer de mon inquiétude.

Vers la fin de décembre, nous partîmes donc pour le Havre, Abel et moi.

Je descendis chez ma tante Plantier. Elle n'était pas à la maison quand j'arrivai. Mais à peine avais-je eu le temps de m'installer dans ma chambre qu'un domestique vint m'avertir qu'elle m'attendait dans le salon.

Elle ne se fut pas plus tôt informée de ma santé, de mon installation,* de mes études que, se laissant aller sans plus de précautions* à son affectueuse curiosité :

— Tu ne m'as pas encore dit, mon enfant, si tu avais été content de ton séjour à Fongueusemare ? As-tu pu avancer un peu tes affaires ?

Il fallait endurer la maladroite bonhomie de ma tante ; mais, pour pénible qu'il me fût d'entendre traiter si sommairement des sentiments que les mots les plus purs et les plus doux me semblaient brutaliser encore, cela était dit sur un ton si simple et si cordial qu'il eût été stupide de s'en fâcher. Néanmoins je me rebiffai d'abord quelque peu :

— Ne m'avez-vous pas dit au printemps que vous considériez des fiançailles comme prématurées ?

— Oui, je sais bien ; on dit cela d'abord, repartit-elle en s'emparant d'une de mes mains qu'elle pressa pathétiquement dans les siennes. Et puis, à cause de tes études, de ton service militaire, vous ne pouvez pas vous marier avant nombre d'années, je sais bien. D'ailleurs, moi, personnellement, je n'approuve pas beaucoup les longues fiançailles ; cela fatigue les jeunes filles. . . Mais c'est quelquefois bien touchant. . . Au reste, il n'est pas nécessaire de rendre les fiançailles officielles . . . seulement cela permet de faire comprendre — oh ! discrètement — qu'il n'est plus nécessaire de chercher pour* elles ; et puis cela autorise votre correspondance, vos rapports ; et enfin, si quelque autre parti se présentait de lui-même — et cela pourrait bien arriver, insinua-t-elle avec un sourire pertinent,* — cela permet de répondre délicatement, que . . . non ; que ce n'est pas la peine. Tu sais qu'on est venu demander la main de Juliette ! Elle a été très remarquée cet hiver. Elle est encore un peu jeune et c'est aussi ce qu'elle a répondu ; mais le jeune homme propose d'attendre ; — ce n'est plus précisément un jeune homme . . . bref, c'est un excellent parti ; quelqu'un de très sûr ; du reste, tu le verras demain ; il doit venir à mon arbre de Noël. Tu me diras ton impression.

— Je crains, ma tante, qu'il n'en soit pour ses frais et que

Juliette n'ait quelqu'un d'autre en tête, dis-je en faisant un grand effort pour ne pas nommer Abel aussitôt.

— Hum ? fit ma tante interrogativement, avec une moue sceptique et portant sa tête de côté. Tu m'étonnes ! Pourquoi ne m'en aurait-elle rien dit ?

Je me mordis les lèvres pour ne pas parler davantage.

— Bah ! nous le verrons bien... Elle est un peu souffrante, Juliette, ces derniers temps, reprit-elle... D'ailleurs, ce n'est pas d'elle qu'il s'agit à présent... Ah ! Alissa est bien aimable aussi... Enfin, oui ou non, lui as-tu fait ta déclaration ?

Bien que regimbant de tout mon cœur contre ce mot : déclaration, qui me semblait si improprement brutal, pris de front* par la question et mal capable de mentir, je répondis confusément* :

— Oui — et sentis mon visage s'embraser.

— Et qu'a-t-elle dit ?

Je baissai la tête ; j'aurais voulu ne pas répondre. Plus confusément encore et comme malgré moi :

— Elle a refusé de se fiancer.

— Eh bien ! elle a raison, cette petite ! s'écria ma tante. Vous avez tout le temps, parbleu...

— Oh ! ma tante, laissons cela, dis-je en tâchant en vain de l'arrêter.

— D'ailleurs, cela ne m'étonne pas d'elle ; elle m'a paru toujours plus raisonnable que toi, ta cousine...

Je ne sais ce qui me prit alors ; énervé sans doute par cet interrogatoire, il me sembla soudain que mon cœur crevait ; comme un enfant, je laissai rouler mon front sur les genoux de la bonne tante, et, sanglotant :

— Ma tante, non, vous ne comprenez pas, m'écriai-je. Elle ne m'a pas demandé d'attendre...

— Quoi donc ! Elle t'aurait repoussé ? dit-elle avec* un ton de commisération très doux en me relevant le front de la main.

— Non plus. . . non, pas précisément.

Je secouais la tête tristement.

— As-tu peur qu'elle ne t'aime plus ?

— Oh ! non ; ce n'est pas cela que je crains.

— Mon pauvre enfant, si tu veux que je te comprenne, il faut t'expliquer un peu plus clairement.

J'étais honteux et désolé de m'être laissé aller à ma faiblesse ;* ma tante restait sans doute incapable d'apprécier les raisons de mon incertitude ; mais, si quelque motif précis se cachait derrière le refus d'Alissa, ma tante, en l'interrogeant doucement, m'aiderait peut-être à le découvrir. Elle y vint d'elle-même bientôt :

— Écoute, reprit-elle : Alissa doit venir demain matin arranger avec moi l'arbre de Noël ; je verrai bien vite de quoi il retourne ; je te le ferai savoir au déjeuner, et tu comprendras, j'en suis sûre, qu'il n'y a pas de quoi t'alarmer.

J'allai dîner chez les Bucolin. Juliette, souffrante en effet depuis quelques jours, me parut changée ; son regard avait pris une expression un peu farouche et presque dure, qui la faisait différer encore plus qu'auparavant de sa sœur. A aucune d'elles deux je ne pus parler en particulier ce soir-là ; je ne le souhaitais point, du reste et, comme mon oncle se montrait fatigué, je me retirai peu de temps après le repas.

L'arbre de Noël que préparait ma tante Plantier réunissait chaque année un grand nombre d'enfants, de parents et d'amis. Il se dressait dans un vestibule formant cage d'escalier et sur lequel ouvraient une première antichambre, un salon et les portes vitrées* d'une sorte de jardin d'hiver où l'on avait dressé un buffet. La toilette* de l'arbre n'était pas achevée et, le matin de la fête, lendemain de mon arrivée, Alissa, ainsi que me l'avait annoncé ma tante, vint d'assez bonne heure l'aider à accrocher aux branches les ornements, les lumières, les fruits, les friandises* et les jouets. J'aurais pris moi-même grand plaisir auprès d'elle à ces soins, mais il fallait laisser ma tante lui parler. Je partis donc sans l'avoir vue et tâchai toute la matinée d'occuper mon inquiétude.

J'allai d'abord chez les Bucolin, désireux de revoir Juliette ; j'appris qu'Abel m'avait devancé auprès d'elle, et, craignant d'interrompre une conversation décisive, je me retirai aussitôt, puis j'errai sur les quais et dans les rues jusqu'à l'heure du déjeuner.

— Gros bêta ! s'écria ma tante quand je rentrai, est-il permis de se gâter ainsi la vie ! Il n'y a pas un mot de raisonnable dans tout ce que tu m'as conté ce matin. . .* Oh ! je n'y ai pas été par quatre chemins :* j'ai envoyé promener Miss Ashburton qui se fatiguait à nous aider et, dès que je me suis trouvée seule avec Alissa, je lui ai demandé tout simplement pourquoi elle ne s'était pas fiancée cet été. Tu crois peut-être qu'elle a été embarrassée ? — Elle ne s'est pas troublée un instant, et, tout tranquillement, m'a répondu qu'elle ne voulait pas se marier avant sa sœur. Si tu le lui avais demandé franchement, elle t'aurait répondu comme à moi. Il y a bien là de quoi se tourmenter, n'est-ce pas ? Vois-tu, mon enfant, il n'y a rien de tel que la franchise. . . Pauvre Alissa, elle m'a parlé aussi de son père qu'elle ne pouvait quitter. . . Oh ! nous avons beaucoup causé. Elle est très raisonnable, cette petite ; elle m'a dit aussi qu'elle n'était pas encore bien convaincue d'être celle qui te convenait ; qu'elle craignait d'être trop âgée pour toi et souhaiterait plutôt quelqu'un de l'âge de Juliette. . .

Ma tante continuait ; mais je n'écoutais plus ; une seule chose m'importait : Alissa refusait de se marier avant sa sœur. — Mais Abel n'était-il pas là ! il avait donc raison, ce grand fat : du même coup, comme il disait, il allait décrocher nos deux mariages. . .

Je cachai de mon mieux à ma tante l'agitation dans laquelle

cette révélation pourtant si simple me plongeait, ne laissant paraître qu'une joie qui lui parut très naturelle et qui lui plaisait d'autant plus qu'il semblait qu'elle me l'eût donnée ; mais sitôt après déjeuner je la quittai sous je ne sais quel prétexte et courus retrouver Abel.

— Hein ! qu'est-ce que je te disais ! s'écria-t-il en m'embrassant, dès que je lui eus fait part de ma joie. — Mon cher, je peux déjà t'annoncer que la conversation que j'ai eue ce matin avec Juliette a été presque décisive, bien que nous n'ayons presque parlé que de toi. Mais elle paraissait fatiguée, nerveuse . . . j'ai craint de l'agiter en allant trop loin et de l'exalter en demeurant trop longtemps. Après ce que tu m'apprends, c'en est fait ! Mon cher, je bondis sur ma canne et mon chapeau. Tu m'accompagnes jusqu'à la porte des Bucolin, pour me retenir si je m'envole en route : je me sens plus léger qu'Euphorion. . .* Quand Juliette saura que ce n'est qu'à cause d'elle que sa sœur te refuse son consentement ; quand, aussitôt, je ferai ma demande. . . Ah ! mon ami, je vois déjà mon père, ce soir, devant l'arbre de Noël, louant le Seigneur en pleurant de bonheur et étendant sa main pleine de bénédictions sur les têtes des quatre fiancés prosternés. Miss Ashburton s'évaporera dans un soupir, la tante Plantier fondra dans son corsage et l'arbre tout en feu chantera la gloire de Dieu et battra des mains à la manière des montagnes* de l'Écriture.

Ce n'était que vers la fin du jour qu'on devait illuminer l'arbre de Noël et qu'enfants, parents et amis allaient se réunir autour. Désœuvré, plein d'angoisse et d'impatience, après avoir laissé Abel, pour tromper mon attente je me lançai dans une longue course sur la falaise de Sainte-Adresse, m'égarai, fis si bien que, lorsque je rentrai chez ma tante Plantier, la fête était depuis quelque temps commencée.

Dès le vestibule, j'aperçus Alissa ; elle semblait m'attendre aussitôt vers moi. Elle portait au cou, dans l'échancrure de son corsage clair, une ancienne* petite croix d'améthystes que je lui avais donnée en souvenir de ma mère, mais que je ne lui avais pas encore vu mettre. Ses traits étaient tirés et l'expression douloureuse de son visage me fit mal.

— Pourquoi viens-tu si tard ? me dit-elle d'une voix oppressée et rapide. J'aurais voulu te parler.

— Je me suis perdu sur la falaise. . . Mais tu es souffrante. . . Oh ! Alissa, qu'est-ce qu'il y a ?

Elle resta un instant devant moi comme interdite et les lèvres tremblantes ; une telle angoisse m'étreignait que je n'osais l'interroger ; elle posa sa main sur mon cou comme pour attirer* mon visage. Je voyais qu'elle voulait parler ; mais à ce moment des invités entrèrent ; sa main découragée retomba. . .

— Il n'est plus temps, murmura-t-elle. Puis, voyant mes yeux s'emplir de larmes, et, comme si cette dérisoire explication eût pu suffire à me calmer, répondant à l'interrogation de mon regard :

— Non . . . rassure-toi : simplement j'ai mal à la tête ; ces enfants font un tel vacarme . . . j'ai dû me réfugier ici. . . Il est temps que je retourne auprès d'eux maintenant.

Elle me quitta brusquement. Du monde entra qui me sépara d'elle. Je pensais la rejoindre dans le salon ; je l'aperçus à l'autre extrémité de la pièce, entourée d'une bande d'enfants dont elle organisait les jeux. Entre elle et moi je reconnaissais diverses personnes auprès de qui je n'aurais pu m'aventurer sans risquer d'être retenu ; politesses, conversations, je ne m'en sentais pas capable ; peut-être qu'en me glissant le long du mur . . . J'essayai.

Comme j'allais passer devant la grande porte vitrée* du jardin, je me sentis saisir par le bras. Juliette était là, à demi cachée dans l'embrasure, enveloppée par le rideau.

— Allons dans le jardin d'hiver, dit-elle précipitamment. Il faut que je te parle. Va de ton côté ;* je t'y retrouve aussitôt. Puis, entr'ouvrant un instant la porte, elle s'enfuit dans le jardin.

Que s'était-il passé ? J'aurais voulu revoir Abel. Qu'avait-il dit ? Qu'avait-il fait ? . . . Revenant vers le vestibule, je gagnai la serre où Juliette m'attendait.

Elle avait le visage en feu ; le froncement de ses sourcils donnait à son regard une expression dure et douloureuse ; ses yeux luisaient comme si elle eût eu la fièvre ; sa voix même semblait rêche et crispée. Une sorte de fureur l'exaltait ; malgré mon inquiétude, je fus étonné, presque gêné par sa beauté. Nous étions seuls.

— Alissa t'a parlé ? me demanda-t-elle aussitôt.

— Deux mots à peine : je suis rentré très tard.

— Tu sais qu'elle veut que je me marie avant elle ?

— Oui.

Elle me regardait fixement. . .

— Et tu sais qui elle veut que j'épouse ?

Je restai sans répondre.

— Toi, reprit-elle dans un cri.

— Mais c'est de la folie !

— N'est-ce pas ! — Il y avait à la fois du désespoir et du triomphe dans sa voix. Elle se redressa, ou plutôt se rejeta toute* en arrière. . .

— Maintenant je sais ce qui me reste à faire, ajouta-t-elle confusément en ouvrant la porte du jardin, qu'elle referma violemment derrière elle.

Tout chancelait* dans ma tête et dans mon cœur. Je sentais le sang battre à mes tempes. Une seule pensée résistait à mon désarroi : retrouver Abel ; lui pourrait m'expliquer peut-être les bizarres propos des deux sœurs. . . Mais je n'osais rentrer dans le salon où je pensais que chacun verrait mon trouble. Je sortis. L'air glacé du jardin me calma; j'y restai quelque temps. Le soir tombait et le brouillard de mer cachait la ville; les arbres étaient sans feuilles, la terre et le ciel paraissaient immensément désolés. . . Des chants s'élevèrent; sans doute un chœur des enfants réunis autour de l'arbre de Noël. Je rentrai par le vestibule. Les portes du salon et de l'antichambre étaient ouvertes; j'aperçus, dans le salon maintenant désert, mal dissimulée derrière le piano, ma tante, qui parlait avec Juliette. Dans l'antichambre, autour de l'arbre en fête, les invités se pressaient. Les enfants avaient achevé leur cantique; il se fit un silence, et le pasteur Vautier, devant l'arbre, commença une manière de prédication. Il ne laissait échapper aucune occasion de ce qu'il appelait « semer le bon grain.» Les lumières et la chaleur m'incommodaient; je voulus ressortir; contre la porte je vis Abel; sans doute il était là depuis quelque temps. Il me regardait hostilement et haussa les épaules quand nos regards se rencontrèrent. J'allai à lui.

— Imbécile! fit-il à demi-voix; puis, soudain: — Ah! tiens! sortons; j'en ai soupé de la bonne parole!* Et dès que nous fûmes dehors: — Imbécile! fit-il de nouveau, comme je le regardais anxieusement sans parler. — Mais c'est toi qu'elle aime, imbécile! Tu ne pouvais donc pas me le dire?

J'étais atterré. Je me refusais à comprendre.

— Non, n'est-ce pas! tu ne pouvais même pas t'en apercevoir tout seul!

Il m'avait saisi le bras et me secouait furieusement. Sa voix, entre ses dents serrées, se faisait tremblante et sifflante.

— Abel, je t'en supplie, lui dis-je après un instant de silence, d'une voix qui tremblait aussi, et tandis qu'il m'entraînait à grands pas au hasard, — au lieu de t'emporter ainsi, tâche de me raconter ce qui s'est passé. J'ignore tout.

A la lueur d'un réverbère, il m'arrêta soudain, me dévisagea;

puis m'attirant* vivement contre lui, il posa sa tête sur mon épaule et murmura dans un sanglot :

— Pardon ! je suis stupide, moi aussi, et n'ai pas su y voir plus clair que toi, mon pauvre frère.

Ses pleurs parurent un peu le calmer ; il releva la tête, se remit à marcher et reprit :

— Ce qui s'est passé ? . . . A quoi sert à présent d'y revenir ? J'avais parlé à Juliette le matin, je te l'ai dit. Elle était extraordinairement belle et animée ; je croyais que c'était à cause de moi ; c'était parce que nous parlions de toi, simplement.

— Tu n'as pas su t'en rendre compte alors ? . . .

— Non ; pas précisément ; mais maintenant les plus petits indices s'éclairent . . .

— Es-tu sûr de ne pas te tromper ?

— Me tromper ! Mais, mon cher, il faut être aveugle pour ne pas voir qu'elle t'aime.

— Alors Alissa. . .

— Alors Alissa se sacrifie. Elle avait surpris le secret de sa sœur et voulait lui céder la place. Voyons, mon vieux ! ce n'est pas difficile à comprendre, pourtant. . . J'ai voulu reparler à Juliette ; aux premiers mots que je lui ai dits, ou plutôt dès qu'elle a commencé à me comprendre, elle s'est levée du canapé où nous étions assis, a répété plusieurs fois : « J'en étais sûre », du ton d'une personne qui n'en était pas sûre du tout. . .

— Ah ! ne plaisante donc pas !

— Pourquoi ? Je trouve ça bouffon, cette histoire. . . Elle s'est élancée dans la chambre de sa sœur. J'ai surpris des éclats de voix impétueux* qui m'alarmaient. J'espérais revoir Juliette, mais au bout d'un instant c'est Alissa qui est sortie. Elle avait son chapeau sur la tête, a paru gênée de me voir, m'a dit rapidement bonjour en passant. . . C'est tout.

— Tu n'as pas revu Juliette ?

Abel hésita quelque peu :

— Si. Après qu'Alissa fut partie, j'ai poussé la porte de la chambre. Juliette était là, immobile, devant la cheminée, les coudes sur le marbre, le menton dans les mains ; elle se regardait fixement dans la glace. Quand elle m'a entendu, elle ne s'est pas retournée, mais a frappé du pied en criant : « Ah ! laissez-moi ! » d'un ton si dur que je suis reparti sans demander mon reste. Voilà tout.

— Et maintenant ?

— Ah ! de t'avoir parlé m'a fait du bien... Et maintenant ? Eh bien ! tu vas tâcher de guérir Juliette de son amour, car, ou je connais bien mal Alissa, ou elle ne te reviendra pas auparavant.

Nous marchâmes assez longtemps silencieux.

— Rentrons ! dit-il enfin. Les invités sont partis à présent. J'ai peur que mon père ne m'attende.

Nous rentrâmes. Le salon en effet était vide ; il ne restait dans l'antichambre, auprès de l'arbre dépouillé, presque éteint, que ma tante et deux de ses enfants, mon oncle Bucolin, Miss Ashburton, le pasteur, mes cousines et un assez ridicule personnage que j'avais vu causer longuement avec ma tante, mais que je ne reconnus qu'à ce moment pour le prétendant dont m'avait parlé Juliette. Plus grand, plus fort, plus coloré qu'aucun de nous, à peu près chauve, d'autre rang, d'autre milieu, d'autre race, il semblait se sentir étranger parmi nous ; il tirait et tordait nerveusement, sous une énorme moustache, un pinceau d'impériale grisonnante. — Le vestibule dont les portes restaient ouvertes, n'était plus éclairé ; rentrés tous deux sans bruit, personne ne s'apercevait de notre présence. Un pressentiment affreux m'étreignit :

— Halte ! fit Abel en me saisissant par le bras.

Nous vîmes alors l'inconnu s'approcher de Juliette, et

prendre la main que celle-ci lui abandonna sans résistance, sans tourner vers lui son regard. La nuit se fermait dans mon cœur. . .

— Mais, Abel, que se passe-il ? murmurai-je, comme si je ne comprenais pas encore ou espérais que je comprenais mal.

— Parbleu ! La petite fait de la surenchère, dit-il d'une voix sifflante. — Elle ne veut pas rester au-dessous de sa sœur.* Pour sûr que les anges applaudissent là-haut !

Mon oncle vint embrasser Juliette, que Miss Ashburton et ma tante entouraient. Le pasteur Vautier s'approcha . . . Je fis un mouvement en avant. Alissa m'aperçut, courut à moi, frémissante :

— Mais, Jérôme, cela ne se peut pas. Mais elle ne l'aime pas ! Mais elle me l'a dit ce matin même. Tâche de l'empêcher, Jérôme ! Oh ! qu'est-ce qu'elle va devenir ? . . .

Elle se pendait à mon épaule dans une supplication désespérée ; j'aurais donné ma vie pour diminuer son angoisse.

Un cri soudain près de l'arbre ; un mouvement confus . . . Nous accourons. Juliette est tombée sans connaissance dans les bras de ma tante. Chacun s'empresse, se penche vers elle, et je peux à peine la voir ; ses cheveux défaits semblent tirer en arrière sa face affreusement pâlie. Il paraissait, aux sursauts de son corps, que ce n'était point là un évanouissement ordinaire.

— Mais non ! mais non, dit à haute voix ma tante, pour rassurer mon oncle Bucolin qui s'effare et que déjà le pasteur Vautier console, l'index dirigé vers le ciel, — mais non ! ce ne sera rien. C'est l'émotion ; une simple crise de nerfs. Monsieur Teissières, aidez-moi donc, vous qui êtes fort. Nous allons la monter dans ma chambre ; sur mon lit . . . sur mon lit. . . Puis elle se penche vers l'aîné de ses fils, lui dit une phrase à l'oreille, et je vois celui-ci qui part aussitôt, sans doute chercher un médecin.

Ma tante et le prétendant maintiennent Juliette sous les épaules, à demi renversée dans leurs bras. Alissa soulève les pieds de sa sœur et les embrasse tendrement. Abel soutient la tête qui retomberait en arrière, — et je le vois, courbé, couvrir de baisers ces cheveux abandonnés qu'il rassemble.

Devant la porte de la chambre je m'arrête. On étend Juliette sur le lit ; Alissa dit à M. Teissières et à Abel quelques mots que je n'entends point ; elle les accompagne jusqu'à la porte, nous prie de laisser reposer* sa sœur, auprès de qui elle veut rester seule avec ma tante Plantier. . . Abel me saisit par le bras et m'entraîne au dehors, dans la nuit où nous marchons longtemps, sans but, sans courage et sans pensée.

V

Je ne trouvais d'autre raison à ma vie que mon amour, me accrochais à lui, n'attendais rien, et ne voulais plus rien ttendre qui ne me vînt de mon amie.

Le lendemain, comme je m'apprêtais à l'aller voir, ma ante m'arrêta et me tendit cette lettre, qu'elle venait de ecevoir :

> . . . La grande agitation de Juliette n'a cédé que vers le matin aux potions prescrites par le docteur. Je supplie Jérôme de ne pas venir d'ici quelques jours. Juliette pourrait reconnaître son pas ou sa voix, et le plus grand calme lui est nécessaire. . .
>
> Je crains que l'état de Juliette ne me retienne ici. Si je ne parviens pas à recevoir Jérôme avant son départ, dis-lui, chère tante, que je lui écrirai. . .

La consigne ne visait que moi. Libre à* ma tante, libre à out autre de sonner chez les Bucolin ; et ma tante comptait y ller ce matin même. Le bruit que je pouvais faire ? Quel nédiocre prétexte. . . N'importe !

— C'est bien. Je n'irai pas.

Il m'en coûtait* beaucoup de ne pas revoir aussitôt Alissa ; nais pourtant je craignais ce revoir ; je craignais qu'elle ne ne tînt pour responsable de l'état de sa sœur, et supportais lus aisément de ne pas la revoir que de la revoir irritée.

Du moins voulus-je revoir Abel.

A sa porte, une bonne me remit un billet :

> Je laisse ce mot pour que tu ne t'inquiètes pas. Rester au Havre, si près de Juliette, m'était intolérable. Je me suis embarqué pour Southampton hier soir, presque aussitôt après t'avoir quitté. C'est à Londres, chez S . . ., que j'achèverai ces vacances. Nous nous retrouverons à l'École.

... Tout secours humain m'échappait à la fois. Je ne prolongeai pas plus longtemps un séjour qui ne me réservait rien que de douloureux, et regagnai Paris, devançant la rentrée. C'est vers Dieu que je tournai mes regards, vers Celui « de qui découle toute consolation réelle, toute grâce et tout don parfait ». C'est à Lui que j'offris ma peine. Je pensais qu'Alissa se réfugiait aussi vers Lui, et de penser qu'elle priait encourageait, exaltait ma prière.

Un long temps passa, de méditation et d'étude, sans autres événements que les lettres d'Alissa et celles que je lui écrivais. J'ai gardé toutes ses lettres ; mes souvenirs, dorénavant confus, s'y repèrent. . .

Par ma tante — et par elle seule d'abord — j'eus des nouvelles du Havre ; j'appris par elle quelles inquiétudes le pénible état de Juliette avait données les premiers jours. Douze jours après mon départ, enfin, je reçus ce billet d'Alissa :

> Pardonne-moi, mon cher Jérôme, si je ne t'ai pas écrit plus tôt. L'état de notre pauvre Juliette ne m'en a guère laissé le temps. Depuis ton départ je ne l'ai presque pas quittée. J'avais prié ma tante de te donner de nos nouvelles et je pense qu'elle l'aura fait. Tu sais donc que depuis trois jours Juliette va mieux. Je remercie Dieu déjà, mais n'ose encore me réjouir.

Robert également, dont jusqu'à présent je ne vous ai qu'à peine parlé, avait pu, rentrant à Paris quelques jours après moi, me donner des nouvelles de ses sœurs. A cause d'elles je m'occupais de lui plus que la pente de mon caractère ne m'y eût naturellement porté ; chaque fois que l'école d'agriculture où il était entré le laissait libre, je me chargeais de lui et m'ingéniais* à le distraire.

C'est par lui que j'avais appris ce que je n'osais demander à Alissa ni à ma tante : Édouard Teissières était venu très assidûment prendre des nouvelles de Juliette ; mais quand

Robert avait quitté le Havre, elle ne l'avait pas encore revu. J'appris aussi que Juliette, depuis mon départ, avait gardé devant sa sœur un obstiné silence que rien n'avait pu vaincre.

Puis, par ma tante, peu après, je sus que ces fiançailles de Juliette, qu'Alissa, je le pressentais, espérait voir aussitôt rompues, Juliette elle-même avait demandé qu'on les rendît le plus tôt possible officielles. Cette détermination contre laquelle conseils, injonctions, supplications se brisaient, barrait son front, bandait ses yeux et la murait dans son silence. . .

Du temps passa. Je ne recevais d'Alissa, à qui du reste je ne savais quoi écrire, que les plus décevants billets. L'épais brouillard d'hiver m'enveloppait ; ma lampe d'étude, et toute la ferveur de mon amour et de ma foi écartaient mal, hélas ! la nuit et le froid de mon cœur. Du temps passa.

Puis, un matin de printemps, subit, une lettre d'Alissa à ma tante, absente du Havre en ce moment — que ma tante me communiqua — d'où je copie ce qui peut éclairer cette histoire :

. . . Admire ma docilité : ainsi que tu m'y engageais, j'ai reçu M. Teissières ; j'ai causé longuement avec lui. Je reconnais qu'il s'est montré parfait, et j'en viens presque à croire, je l'avoue, que ce mariage pourra n'être pas si malheureux que je le craignais d'abord. Certainement Juliette ne l'aime pas ; mais lui me paraît, de semaine en semaine, moins indigne d'être aimé. Il parle de la situation avec clairvoyance et ne se méprend pas au* caractère de ma sœur ; mais il a grande confiance dans l'efficacité de son amour à lui, et se flatte qu'il n'y ait rien que sa constance ne pourra vaincre. C'est te dire qu'il est fort épris.

En effet, je suis extrêmement touchée de voir Jérôme s'occuper ainsi de mon frère. Je pense qu'il ne fait cela que par devoir, car le caractère de Robert a peu de rapports avec le sien — et peut-être aussi pour me plaire — mais sans doute il a déjà pu reconnaître que, plus le devoir qu'on assume est ardu, plus il éduque l'âme et l'élève. Voilà des réflexions bien sublimes! Ne souris pas trop de ta grande nièce, car ce sont ces pensées qui me soutiennent et qui m'aident à tâcher d'envisager le mariage de Juliette comme un bien.

Que ton affectueuse sollicitude m'est douce, ma chère tante! . . . Mais ne crois pas que je sois malheureuse ; je puis presque dire : au contraire — car l'épreuve qui vient de secouer Juliette* a eu son contre-coup en moi. Ce mot de l'Écriture que je répétais sans trop le comprendre s'est éclairé soudain pour moi : « Malheur à l'homme qui met sa confiance dans l'homme ».* Bien avant de la retrouver dans ma Bible, j'avais lu cette parole sur une petite image de Noël que Jérôme m'a envoyée lorsqu'il n'avait pas douze ans et que je venais d'en prendre quatorze. Il y avait, sur cette image, à côté d'une gerbe* de fleurs qui nous paraissaient alors très jolies, ces vers, d'une paraphrase de Corneille :*

Quel charme vainqueur du monde
Vers Dieu m'élève aujourd'hui?
Malheureux l'homme qui fonde
*Sur les hommes son appui!**

auxquels j'avoue que je préfère infiniment le simple verset* de Jérémie. Sans doute, Jérôme avait alors choisi cette carte sans faire grande attention au verset. Mais si j'en juge d'après ses lettres, ses dispositions aujourd'hui sont assez semblables aux miennes, et je remercie Dieu chaque jour de nous avoir du même coup rapprochés tous deux de Lui.

Me souvenant de notre conversation, je ne lui écris plus aussi longuement que par le passé, pour ne pas le troubler dans son travail. Tu vas trouver sans doute que je me dédommage en parlant de lui d'autant plus ; de peur de continuer, j'arrête vite ma lettre ; pour cette fois, ne me gronde pas trop.

Quelles réflexions me suggéra cette lettre! Je maudis l'indiscrète intervention de ma tante (qu'était-ce que cette conversation à laquelle Alissa faisait allusion et qui me valait son silence?),* la maladroite attention qui la poussait à me communiquer ceci. Si déjà je supportais mal le silence d'Alissa, ah ! ne valait-il pas mieux mille fois me laisser ignorer que, ce qu'elle ne me disait plus, elle l'écrivait à quelque autre ! Tout m'irritait ici : et de l'entendre raconter si facilement à ma tante les menus secrets d'entre nous, et le son naturel, et la tranquillité, le sérieux, l'enjouement. . .

— Mais non, mon pauvre ami ! rien ne t'irrite, dans cette lettre, que de savoir qu'elle ne t'est pas adressée, me dit Abel, mon compagnon quotidien, Abel à qui seul je pouvais parler et vers qui, dans ma solitude, me repenchaient* sans cesse faiblesse, besoin plaintif de sympathie, défiance de moi, et, dans mon embarras, crédit que j'attachais à son conseil,* malgré la différence de nos natures, ou à cause d'elle plutôt. . .

— Étudions ce papier, dit-il en étalant la lettre sur son bureau.

Trois nuits avaient déjà passé sur mon dépit, que j'avais su garder par devers moi* quatre jours ! J'en venais presque naturellement à ce que mon ami sut me dire :

— La partie Juliette-Teissières, nous l'abandonnons au feu de l'amour, n'est-ce pas ? Nous savons ce qu'en vaut la flamme. Parbleu ! Teissières me paraît bien le papillon qu'il faut* pour s'y brûler . . .

— Laissons cela, lui dis-je, offusqué par ses plaisanteries. Venons au reste.

— Le reste ? fit-il. . . Tout le reste est pour toi. Plains-toi donc !* Pas une ligne, pas un mot que ta pensée* n'emplisse. Autant dire que la lettre entière t'est adressée ; tante Félicie, en te la renvoyant, n'a fait que la retourner à son véritable destinataire ; c'est faute de toi qu'Alissa s'adresse à* cette brave femme, comme au premier pis-aller ; qu'est-ce que peuvent bien lui faire, à ta tante, les vers de Corneille ! — qui, entre parenthèses, sont de Racine ; — c'est avec toi qu'elle cause, te dis-je ; c'est à toi qu'elle dit tout cela. Tu n'es qu'un niais si ta cousine, avant quinze jours, ne t'écrit pas tout aussi longuement, aisément, agréablement. . .

— Elle n'en prend guère le chemin !

— Il ne tient qu'à toi qu'elle le prenne ! Tu veux mon conseil ? — Ne souffle plus mot, d'ici . . . longtemps, d'amour ni de mariage entre vous ; ne vois-tu pas que, depuis l'accident* de sa sœur, c'est à cela qu'elle en veut. Travaille sur la fibre fraternelle* et parle-lui de Robert inlassablement — puisque tu trouves la patience de t'occuper de ce crétin. Continue simplement d'amuser son intelligence ; tout le reste suivra Ah ! si c'était à moi de lui écrire ! . . .

— Tu ne serais pas digne de l'aimer.

Je suivis néanmoins le conseil d'Abel ; et bientôt en effet les lettres d'Alissa recommencèrent de s'animer ; mais je ne pouvais espérer de vraie joie de sa part, ni d'abandon sans réticences avant que la situation, sinon le bonheur, de Juliette fût assurée.

Les nouvelles qu'Alissa me donnait de sa sœur devenaient cependant meilleures. Son mariage devait se célébrer en juillet. Alissa m'écrivit qu'elle pensait bien qu'à cette date Abel et moi serions retenus par nos études. . . Je compris qu'elle jugeait préférable que nous ne parussions pas à la cérémonie, et, prétextant quelque examen, nous nous contentâmes d'envoyer nos vœux.

Quinze jours environ après ce mariage, voici ce que m'écrivit Alissa :

Mon cher Jérôme,

Juge de ma stupeur, hier en ouvrant au hasard le joli Racine que tu m'as donné, d'y retrouver les quatre vers de ton ancienne petite image de Noël, que je garde depuis bientôt dix ans dans ma Bible.

Quel charme vainqueur du monde
Vers Dieu m'élève aujourd'hui ?
Malheureux l'homme qui fonde
Sur les hommes son appui !

Je les croyais extraits d'une paraphrase de Corneille, et j'avoue que je ne les trouvais pas merveilleux. Mais, continuant la lecture du IVe Cantique spirituel,* je tombe sur des strophes tellement belles que je ne puis me retenir de te les copier. Sans doute tu les connais déjà, si j'en juge d'après les indiscrètes initiales que tu as mises en marge du volume [*j'avais pris l'habitude, en effet, de semer mes livres et ceux d'Alissa de la première lettre de son nom, en regard de chacun des passages que j'aimais et voulais lui faire connaître*].* N'importe ! c'est pour mon plaisir que je les transcris. J'étais un peu vexée d'abord de voir que tu m'offrais ce que j'avais cru découvrir, puis ce vilain sentiment a cédé devant ma joie de penser que tu les aimais comme moi. En les copiant, il me semble que je les relis avec toi.

De la sagesse immortelle
La voix tonne et nous instruit.
« Enfants des hommes, dit-elle,
De vos soins quel est le fruit ?
Par quelle erreur, âmes vaines,
Du plus pur sang de vos veines
Achetez-vous si souvent,
Non un pain qui vous repaisse,
Mais une ombre qui vous laisse
*Plus affamés que devant.**

Le pain que je vous propose
Sert aux anges d'aliment :
Dieu lui-même le compose
De la fleur de son froment,
C'est ce pain si délectable
Que ne sert point à sa table
Le monde que vous suivez.
Je l'offre à qui veut me suivre.
Approchez. Voulez-vous vivre ?
Prenez, mangez et vivez. »

. . . .

L'âme heureusement captive
Sous ton joug trouve la paix,
*Et s'abreuve d'une eau vive**
Qui ne s'épuise jamais.
Chacun peut boire en cette onde :
Elle invite tout le monde ;
Mais nous courons follement
Chercher des sources bourbeuses
Ou des citernes trompeuses
D'où l'eau fuit à tout moment.

Est-ce beau ! Jérôme, est-ce-beau ! Vraiment trouves-tu cela aussi beau que moi ? Une petite note de mon édition dit que Mme de Maintenon,* entendant chanter ce cantique par Mlle d'Aumale,* parut dans l'admiration,* « jeta* quelques larmes » et lui fit répéter une partie du morceau. Je le sais à présent par cœur et ne me lasse pas de le réciter. Ma seule tristesse, ici, est de ne pas te l'avoir entendu lire.

Les nouvelles de nos voyageurs continuent à être fort bonnes. Tu sais déjà combien Juliette a joui de Bayonne* et de Biarritz,* malgré l'épouvantable chaleur. Ils ont depuis visité Fontarabie,* se sont arrêtés à Burgos,* ont traversé deux fois les Pyrénées. . . Elle m'écrit à présent du Monserrat* une lettre enthousiaste. Ils pensent s'attarder dix jours encore à Barcelone* avant de regagner Nîmes, où Édouard veut rentrer avant septembre, afin de tout organiser pour les vendanges.

Depuis une semaine, nous sommes, père et moi, à Fongueusemare, où Miss Ashburton doit venir nous rejoindre demain et Robert dans quatre jours. Tu sais que le pauvre garçon s'est fait refuser à son examen ; non point que ce fût difficile, mais l'examinateur lui a posé des questions si baroques qu'il s'est troublé ; je ne puis croire que Robert ne fût pas prêt, après ce que tu m'avais écrit de son zèle, mais cet examinateur, paraît-il, s'amuse à décontenancer ainsi les élèves.

Quant à tes succès, cher ami, je puis à peine dire que je t'en félicite, tant ils me paraissent naturels. J'ai si grande confiance en toi, Jérôme ! Dès que je pense à toi, mon cœur s'emplit d'espoir. Vas-tu pouvoir commencer dès maintenant le travail dont tu avais parlé. . . ?

. . . Ici rien n'est changé dans le jardin ; mais la maison paraît bien vide ! Tu auras compris, n'est-ce pas, pourquoi je te priais de ne pas venir cette année ; je sens que cela vaut mieux ; je me le redis chaque jour, car il m'en coûte* de rester si longtemps sans te voir. . . Parfois, involontairement je te cherche ; j'interromps ma lecture, je tourne la tête brusquement . . . il me semble que tu es là !

Je reprends ma lettre. Il fait nuit ; tout le monde dort ; je m'attarde à t'écrire, devant la fenêtre ouverte ; le jardin est tout embaumé ;* l'air est tiède. Te souviens-tu, du temps que nous étions enfants, dès que nous voyions ou entendions quelque chose de très beau, nous pensions : Merci, mon Dieu, de l'avoir créé . . . Cette nuit, de toute mon âme je pensais : Merci, mon Dieu, d'avoir fait cette nuit si belle ! Et tout à coup je t'ai souhaité là, senti là, près de moi, avec une violence telle que tu l'auras peut-être senti.

Oui, tu le disais bien dans ta lettre : l'admiration, « chez les âmes bien nées », se confond en reconnaissance. . . Que de choses je voudrais t'écrire encore ! — Je songe à ce radieux pays dont me parle Juliette. Je songe à d'autres pays plus vastes, plus radieux encore, plus déserts. Une *étrange* confiance m'habite qu'un jour, je ne sais comment, ensemble, nous verrons je ne sais quel grand pays mystérieux. . .

Sans doute imaginez-vous aisément avec quels transports de joie je lus cette lettre, et avec quels sanglots d'amour. D'autres lettres suivirent. Certes Alissa me remerciait de ne point venir à Fongueusemare, certes elle m'avait supplié de ne point chercher à la revoir cette année, mais elle regrettait mon absence, elle me souhaitait à présent ; de page en page retentissait le même appel. Où pris-je la force d'y résister ? Sans doute dans les conseils d'Abel, dans la crainte de ruiner tout à coup ma joie, et dans un raidissement naturel contre l'entraînement* de mon cœur.

Je copie, des lettres qui suivirent, tout ce qui peut instruire* ce récit :

Cher Jérôme,

Je fonds de joie en te lisant. J'allais répondre à ta lettre d'Orvieto,* quand, à la fois, celle de Pérouse* et celle d'Assise* sont arrivées. Ma pensée se fait voyageuse ; mon corps seul fait semblant d'être ici ; en vérité je suis avec toi sur les blanches routes d'Ombrie ;* avec toi je pars au matin, regarde avec un œil tout neuf* l'aurore... Sur la terrasse de Cortone* m'appelais-tu vraiment ? je t'entendais... On avait terriblement soif dans la montagne au-dessus d'Assise ! mais que le verre d'eau du Franciscain* m'a paru bon ! O mon ami ! je regarde à travers toi chaque chose. Que j'aime ce que tu m'écris à propos de saint François !* Oui, n'est-ce pas, ce qu'il faut chercher, c'est une *exaltation* et non point une émancipation de la pensée. Celle-ci ne va pas sans un orgueil abominable. Mettre son ambition non à se révolter, mais à servir.

Les nouvelles de Nîmes sont si bonnes qu'il me paraît que Dieu me permet de m'abandonner à la joie. La seule ombre de cet été, c'est l'état de mon pauvre père ; malgré mes soins il reste triste, ou plutôt il retrouve sa tristesse dès l'instant que je l'abandonne à lui-même et il s'en laisse toujours moins aisément tirer. Toute la joie de la nature parle autour de nous une langue qui lui devient étrangère ; il ne fait même plus effort pour l'entendre. — Miss Ashburton va bien. Je leur lis à tous deux tes lettres ; chacune nous donne de quoi causer pour trois jours ; alors arrive une lettre nouvelle...

... Robert nous a quittés avant-hier ; il va passer la fin des vacances chez son ami R..., dont le père dirige une ferme modèle. Certainement la vie que nous menons ici n'est pas bien gaie pour lui. Je n'ai pu que l'encourager dans son projet, lorsqu'il a parlé de partir...

... J'ai tant à te dire ; j'ai soif d'une si inépuisable causerie !

parfois je ne trouve plus de mots, d'idées distinctes, — ce soir j'écris comme en rêvant — gardant seulement la sensation presque oppressante d'une infinie richesse à donner et à recevoir.

Comment avons-nous fait, durant de si longs mois, pour nous taire ? Nous hivernions sans doute. Oh ! qu'il soit fini pour jamais cet affreux hiver de silence ! Depuis que te voilà retrouvé, la vie, la pensée, notre âme, tout me paraît beau, adorable, fertile inépuisablement...

12 *septembre*

J'ai bien reçu ta lettre de Pise.* Nous aussi nous avons un temps splendide ; jamais encore la Normandie ne m'avait paru si belle. J'ai fait avant-hier, seule, à pied, une énorme promenade à travers champs, au hasard ; je suis rentrée plus exaltée que lasse, tout ivre de soleil et de joie. Que les meules, sous l'ardent soleil, étaient belles ! Je n'avais pas besoin de me croire en Italie pour trouver tout admirable.

Oui, mon ami, c'est une exhortation à la joie, comme tu dis, que j'écoute et comprends dans « l'hymne confus » de la nature. Je l'entends dans chaque chant d'oiseau ; je la respire dans le parfum de chaque fleur, et j'en viens à ne comprendre plus que l'adoration comme seule forme de la prière — redisant avec saint François : Mon Dieu ! Mon Dieu ! « e non altro »,* le cœur empli d'un *inexprimable** amour.

Ne crains pas toutefois que je tourne à l'ignorantine !* J'ai beaucoup lu ces derniers temps ; quelques jours de pluie aidant, j'ai comme replié mon adoration dans les livres... Achevé Malebranche* et tout aussitôt pris les *Lettres à Clarke*, de Leibnitz.* Puis, pour me reposer, ai lu les *Cenci*,* de Shelley — sans plaisir ; lu *La Sensitive** aussi... Je vais peut-être t'indigner : je donnerais presque tout Shelley, tout Byron, pour les quatre odes de Keats que nous lisions ensemble l'été passé ; de même que je donnerais tout Hugo* pour quelques sonnets de Baudelaire. Le mot : *grand* poète, ne veut rien dire : c'est être un *pur* poète, qui importe... O mon frère ! merci pour m'avoir fait connaître et comprendre et aimer tout ceci.

. . . Non, n'écourte pas ton voyage pour le plaisir de quelques jours de revoir. Sérieusement, il vaut mieux que nous ne nous revoyions pas encore. Crois-moi : quand tu serais près de moi, je ne pourrais penser à toi davantage. Je ne voudrais pas te peiner, mais j'en suis venue à ne plus souhaiter — maintenant — ta présence. Te l'avouerais-je ? je saurais* que tu viens* ce soir . . . je fuirais.

Oh ! ne me demande pas de t'expliquer ce . . . sentiment, je t'en prie. Je sais seulement que je pense à toi sans cesse (ce qui doit suffire à *ton* bonheur) et que je suis heureuse ainsi.

. . . .

Peu de temps après cette dernière lettre, et dès mon retour d'Italie, je fus pris par le service militaire et envoyé à Nancy.* Je n'y connaissais âme qui vive, mais je me réjouissais d'être seul, car il apparaissait ainsi plus clairement à mon orgueil d'amant et à Alissa que ses lettres étaient mon seul refuge, et son souvenir, comme eût dit Ronsard,* « ma seule entéléchie ».*

A vrai dire, je supportai fort allègrement la discipline assez dure à laquelle on nous soumettait. Je me raidissais contre tout et, dans les lettres que j'écrivais à Alissa, ne me plaignais que de l'absence. Et même nous trouvions dans la longueur de cette séparation une épreuve digne de notre vaillance. — « Toi qui ne te plains jamais, m'écrivait Alissa ; toi que je ne peux imaginer défaillant. . . » Que n'eussé-je enduré en témoignage à ses paroles ?

Un an s'était presque écoulé depuis notre dernier revoir. Elle semblait ne pas y songer, mais faire commencer d'à présent seulement son attente. Je le lui reprochai.

N'étais-je pas avec toi en Italie ? [*répondit-elle.*] Ingrat ! Je ne te quittai pas un seul jour. Comprends donc qu'à présent, pour un temps, je ne peux plus te suivre, et c'est cela, cela seulement que j'appelle séparation. J'essaie bien, il est vrai, de t'imaginer en militaire. . . Je n'y parviens pas. Tout au plus te retrouvé-je, le soir, dans la petite chambre de la rue Gambetta,* écrivant ou lisant . . . et même, non ; en vérité, je ne te retrouve qu'à Fongueusemare ou au Havre dans un an.

Un an ! Je ne compte pas les jours déjà passés ; mon espoir fixe ce point à venir qui se rapproche lentement, lentement. Tu te rappelles, tout au fond du jardin, le mur bas, au pied duquel on abritait les chrysanthèmes, et sur lequel nous nous risquions ; Juliette et toi vous marchiez là-dessus hardiment comme des musulmans qui vont tout droit au paradis ; — pour moi, le vertige me prenait aux premiers pas, et tu me criais, d'en bas : « Ne regarde donc pas à tes pieds ! . . . Devant toi ! avance toujours ! fixe le but ! » Puis enfin— et cela valait mieux que tes paroles — tu grimpais à l'extrémité du mur et m'attendais. Alors je ne tremblais plus. Je ne sentais plus le vertige : je ne regardais plus que toi ; je courais jusque dans tes bras ouverts. . .

Sans confiance en toi, Jérôme, que deviendrais-je ? J'ai besoin de te sentir fort ; besoin de m'appuyer sur toi. Ne faiblis pas.

Par une sorte de défi, prolongeant comme à plaisir notre attente — par crainte aussi d'un imparfait revoir, nous convînmes que je passerais à Paris, près de Miss Ashburton, mes quelques jours de permission aux approches du nouvel an. . .

Je vous l'ai dit : je ne transcris point toutes ces lettres. Voici celle que je reçus vers le milieu de février :

Grande émotion, en passant rue de Paris, avant-hier, de voir, à la devanture de M. . . . bien indiscrètement étalé, le livre d'Abel que tu m'avais annoncé, mais à la *réalité* duquel je ne parvenais pas à croire. Je n'ai pu y tenir ; je suis entrée ; mais le titre m'en paraissait si ridicule que j'hésitais à le dire au commis ; j'ai même vu l'instant où j'allais ressortir de la boutique avec n'importe quel autre ouvrage. Heureusement une petite pile de *Privautés* attendait le client, près du comptoir — où j'ai jeté cent sous,* après m'être emparée d'un exemplaire, et sans avoir eu besoin de parler.

Je sais gré à Abel de ne pas m'avoir envoyé son livre ! Je n'ai pu le feuilleter sans honte ; honte non tant à cause du livre même — où je vois, après tout, plus de sottise encore que d'indécence — mais honte à songer qu'Abel, Abel Vautier, ton ami, l'avait écrit. En vain, j'ai cherché de page en page ce « grand talent » que le critique du *Temps* y découvre. Dans notre petite société du Havre, où l'on parle souvent d'Abel, j'apprends que le livre a beaucoup de succès. J'entends appeler « légèreté »* et « grâce » l'incurable futilité de cet esprit ; naturellement j'observe une prudente réserve et je ne parle qu'à toi de ma lecture. Le pauvre pasteur Vautier, que j'ai vu d'abord justement désolé, finit par se demander s'il n'y aurait pas là plutôt raison d'être fier ; chacun autour de lui travaille à le lui faire croire. Hier, chez tante Plantier, Mme V. . . lui ayant dit tout brusquement :—Vous devez être bien heureux, Monsieur le pasteur, du beau succès de votre fils ! Il a répondu, un peu confus :—Mon Dieu, je n'en suis pas encore là. . . — Mais vous y venez ! vous y venez ! a dit la tante, sans malice certainement, mais d'un ton si encourageant que tout le monde s'est mis à rire, même lui.

Que sera-ce donc lorsqu'on jouera *le Nouvel Abailard*, que j'apprends qu'il prépare pour je ne sais quel théâtre des Boulevards* et dont il paraît que les journaux parlent déjà ! . . . Pauvre Abel ! Est-ce vraiment là le succès qu'il désire et dont il se contentera !

Je lisais hier ces paroles de *l'Internelle Consolacion* : « Qui vrayement désire la gloire vraye et pardurable* ne tient compte de la temporelle ; qui ne la mesprise en son cueur, il se monstre vrayement qu'il n'ayme pas la célestielle »,* et j'ai pensé : Merci, mon Dieu, d'avoir élu Jérôme pour cette gloire célestielle auprès de laquelle l'autre n'est rien.

Les semaines, les mois s'écoulaient dans des occupations monotones ; mais, ne pouvant raccrocher ma pensée qu'à des souvenirs ou à des espoirs, à peine m'apercevais-je de la lenteur du temps, de la longueur des heures.

Mon oncle et Alissa devaient aller, en juin, rejoindre, aux

environs de Nîmes, Juliette, qui attendait un enfant vers cette époque. Des nouvelles un peu moins bonnes les firent précipiter leur départ.

Ta dernière lettre, adressée au Havre, [*m'écrivit Alissa*] est arrivée lorsque nous venions d'en partir. Comment expliquer qu'elle ne m'ait rejointe ici que huit jours après ? Toute la semaine j'ai eu une âme incomplète, transie, douteuse,* diminuée. O mon frère ! je ne suis vraiment moi, plus que moi, qu'avec toi. . .

Juliette va de nouveau bien : nous attendons sa délivrance* d'un jour à l'autre, et sans trop d'inquiétude. Elle sait que je t'écris ce matin ; le lendemain de notre arrivée à Aigues-Vives* elle m'a demandé :—Et Jérôme, que devient-il ? . . . Il t'écrit toujours ? . . . et comme je n'ai pu lui mentir : Quand tu lui écriras, dis-lui que . . . elle a hésité un instant, puis, en souriant très doucement : . . . je suis guérie. — Je craignais un peu, dans ses lettres toujours gaies, qu'elle ne me jouât la comédie du bonheur* et qu'elle-même ne s'y laissât prendre. . . Ce dont elle fait son bonheur aujourd'hui reste si différent de ce qu'elle rêvait et dont il semblait que son bonheur dût dépendre ! . . . Ah ! que ce qu'on appelle *bonheur* est chose peu étrangère à l'âme* et que les éléments qui semblent le composer du dehors importent peu ! Je t'épargne quantité de réflexions que j'ai pu faire dans mes promenades solitaires sur la « garrigue »,* où ce qui m'étonne le plus c'est de ne pas me sentir plus joyeuse ; le bonheur de Juliette devrait me combler . . pourquoi mon cœur cède-t-il à une mélancolie incompréhensible, dont je ne parviens pas à me défendre ? La beauté même de ce pays, que je sens, que je constate du moins, ajoute encore à mon inexplicable tristesse. . . Quand tu m'écrivais d'Italie, je savais voir à travers toi toute chose ; à présent il me semble que je te dérobe tout ce que je regarde sans toi. Enfin, je m'étais fait, à Fongueusemare et au Havre, une vertu de résistance à l'usage des jours de pluie ; ici cette vertu n'est plus de mise, et je reste inquiète de la sentir sans emploi. Le rire des gens et du pays m'offusque ; peut-être que j'appelle être triste simplement n'être pas aussi bruyant qu'eux. . . Sans doute, auparavant, il entrait quelque orgueil dans ma joie, car, à présent, parmi cette gaîté étrangère, c'est quelque chose comme de l'humiliation que j'éprouve.

A peine ai-je pu prier depuis que je suis ici : j'éprouve le sentiment enfantin que Dieu n'est plus à la même place. Adieu je te quitte bien vite ; j'ai honte de ce blasphème, de ma faiblesse, de ma tristesse, et de l'avouer, et de t'écrire tout ceci que je déchirerais demain, si le courrier ne l'emportait ce soir. . .

La lettre suivante ne parlait que de la naissance de sa nièce, dont elle devait être marraine, de la joie de Juliette, de celle de mon oncle . . . mais de ses sentiments à elle, il n'était plus question.

Puis ce furent des lettres datées de Fongueusemare de nouveau, où Juliette vint la rejoindre en juillet. . .

Édouard et Juliette nous ont quittés ce matin. C'est ma petite filleule surtout que je regrette ; quand je la reverrai, dans six mois, je ne reconnaîtrai plus tous ses gestes ; elle n'en avait encore presque pas un que je ne lui eusse vu inventer. Les *formations** sont toujours si mystérieuses et surprenantes ; c'est par défaut d'attention que nous ne nous étonnons pas plus souvent. Que d'heures j'ai passées, penchée sur ce petit berceau plein d'espérance. Par quel égoïsme, quelle suffisance, quelle inappétence* du mieux, le développement s'arrête-t-il si vite, et toute créature se fixe-t-elle* encore si distante de Dieu ? Oh ! si pourtant nous pouvions, nous voulions nous rapprocher de Lui davantage . . . quelle émulation ce serait !

Juliette paraît très heureuse. Je m'attristais d'abord de la voir renoncer au piano et à la lecture ; mais Édouard Teissières n'aime pas la musique et n'a pas grand goût pour les livres ; sans doute Juliette agit-elle sagement en ne cherchant pas ses joies où lui ne pourrait pas la suivre. Par contre, elle prend intérêt aux occupations de son mari, qui la tient au courant de* toutes ses affaires. Elles ont pris beaucoup d'extension cette année ; il s'amuse à dire que c'est à cause de son mariage, qui lui a valu une importante clientèle au Havre. Robert l'a accompagné dans son dernier voyage d'affaires ; Édouard est plein d'attentions pour lui, prétend comprendre son caractère et ne désespère pas de le voir prendre sérieusement goût à ce genre de travail.

Père va beaucoup mieux ; de voir sa fille heureuse le rajeunit ; il s'intéresse de nouveau à la ferme, au jardin, et tantôt m'a demandé de reprendre la lecture à voix haute que nous avions commencée avec Miss Ashburton et que le séjour des Teissières avait interrompue ; ce sont les voyages du baron de Hübner* que je leur lis ainsi ; moi-même j'y prends grand plaisir. Je vais maintenant avoir plus de temps pour lire aussi de mon côté ; mais j'attends de toi quelques indications ;* j'ai, ce matin, pris l'un après l'autre plusieurs livres sans me sentir de goût pour un seul ! . . .

Les lettres d'Alissa devinrent, à partir de ce moment, plus troubles et plus pressantes :

La crainte de t'inquiéter ne me laisse pas te dire combien je t'attends [*m'écrivait-elle vers la fin de l'été*]. Chaque jour à passer avant de te revoir pèse sur moi, m'oppresse. Deux mois encore ! Cela me paraît plus long que tout le temps déjà passé loin de toi ! Tout ce que j'entreprends pour tâcher de tromper mon attente me paraît dérisoirement provisoire et je ne puis m'astreindre à rien. Les livres sont sans vertu, sans charme, les promenades sans attrait, la nature entière sans prestige, le jardin décoloré, sans parfums. J'envie tes corvées, ces exercices obligatoires et non choisis par toi, qui t'arrachent sans cesse à toi-même, te fatiguent, dépêchent tes journées, et, le soir, te précipitent, plein de fatigue, dans le sommeil. L'émouvante description que tu m'as faite des manœuvres m'a hantée. Ces dernières nuits où je dormais mal, plusieurs fois je me suis réveillée en sursaut à l'appel de la diane ; positivement, je l'entendais. J'imagine si bien cette sorte d'ivresse légère dont tu parles, cette allégresse matinale, ce demi-vertige. . . Dans l'éblouissement glacé de l'aube, que ce plateau de Malzéville* devait être beau ! . . .

Je vais un peu moins bien depuis quelque temps ; oh ! rien de grave. Je crois que je t'attends un peu trop fort simplement.

Et six semaines plus tard :

Voici ma dernière lettre, mon ami. Si peu fixé* que tu sois encore sur la date de ton retour, elle ne peut beaucoup tarder ; je ne pourrais plus rien t'écrire. C'est à Fongueusemare que j'aurais désiré te revoir, mais la saison est devenue mauvaise,* il fait très froid et père ne parle plus que de rentrer en ville. A présent que Juliette ni Robert ne sont plus avec nous, nous pourrions aisément te loger, mais il vaut mieux que tu descendes chez tante Félicie, qui sera heureuse elle aussi de te recevoir.

A mesure que le jour de notre revoir se rapproche, mon attente devient plus anxieuse ; c'est presque de l'appréhension ; ta venue tant souhaitée, il me semble, à présent, que je la redoute ; je m'efforce de n'y plus penser ;* j'imagine ton coup de sonnette, ton pas dans l'escalier, et mon cœur cesse de battre ou me fait mal. . . Surtout ne t'attends pas à ce que je puisse te parler. . . Je sens s'achever là mon passé ; au delà je ne vois rien ; ma vie s'arrête. . .

Quatre jours après, c'est-à-dire une semaine avant ma libération, je reçus pourtant encore une lettre très brève :

Mon ami, je t'approuve entièrement de ne pas chercher à prolonger outre mesure ton séjour au Havre et le temps de notre premier revoir. Qu'aurions-nous à nous dire que nous ne nous soyons déjà écrit ? Si donc des inscriptions à prendre te rappellent à Paris dès le 28, n'hésite pas, ne regrette même pas de ne pouvoir nous donner plus de deux jours. N'aurons-nous pas toute la vie ?

VI

C'est chez la tante Plantier qu'eut lieu notre première rencontre. Je me sentais soudain alourdi, épaissi par mon service. . . J'ai pu penser ensuite qu'elle m'avait trouvé changé. Mais que devait importer entre nous cette première impression mensongère ? — Pour moi, craignant de ne plus parfaitement la reconnaître, j'osais d'abord à peine la regarder. . . Non ; ce qui nous décontenança plutôt, c'était ce rôle absurde de fiancés qu'on nous contraignait d'assumer, cet empressement de chacun à nous laisser seuls, à se retirer devant nous :

— Mais, tante, tu ne nous gênes nullement ; nous n'avons rien de secret à nous dire, s'écriait enfin Alissa devant les indiscrets efforts de cette femme pour s'effacer.

— Mais si ! mais si, mes enfants ! je vous comprends très bien ; quand on est resté longtemps sans se revoir, on a des tas de petites choses à se raconter. . .

— Je t'en prie, tante ; tu nous désobligerais beaucoup en partant ; — et cela était dit d'un ton presque irrité où je reconnaissais à peine la voix d'Alissa.

— Tante, je vous assure que nous ne nous dirons plus un seul mot si vous partez ! ajoutai-je en riant, mais envahi moi-même d'une certaine appréhension à l'idée de nous trouver seuls. Ft la conversation reprenait entre nous trois, faussement enjouée, banale, fouettée par cette animation de commande derrière laquelle chacun de nous cachait son trouble. Nous devions nous retrouver le lendemain, mon oncle m'ayant invité à déjeuner, de sorte que nous nous quittâmes sans peine ce premier soir, heureux de mettre fin à cette comédie.

J'arrivai bien avant l'heure du repas, mais trouvai Alissa causant avec une amie qu'elle n'eut pas la force de congédier et qui n'eut pas la discrétion de partir. Quand enfin elle nous eut laissés seuls, je feignis de m'étonner qu'Alissa ne l'eût pas retenue à déjeuner. Nous étions énervés tous deux, fatigués par une nuit sans sommeil. Mon oncle vint. Alissa sentit que je le trouvais vieilli. Il était devenu dur d'oreille, entendait mal ma voix ; l'obligation de crier pour me faire comprendre abrutissait* mes propos.

Après le déjeuner, la tante Plantier, ainsi qu'il avait été convenu, vint nous prendre dans sa voiture ; elle nous emmenait à Orcher, avec l'intention de nous laisser, Alissa et moi, faire à pied, au retour, la plus agréable partie de la route.

Il faisait chaud pour la saison. La partie de la côte où nous marchions était exposée au soleil et sans charme ; les arbres dépouillés ne nous étaient d'aucun abri. Talonnés par le souci de rejoindre la voiture où nous attendait la tante, nous activions incommodément notre pas. De mon front que barrait la migraine je n'extrayais pas une idée ; par contenance, ou parce que ce geste pouvait tenir lieu de paroles, j'avais pris, tout en marchant, la main qu'Alissa m'abandonnait. L'émotion, l'essoufflement de la marche, et le malaise de notre silence nous chassaient le sang au visage ; j'entendais battre mes tempes ; Alissa était déplaisamment colorée ; et bientôt la gêne de sentir accrochées l'une à l'autre nos mains moites nous les fit laisser se déprendre* et retomber chacune tristement.

Nous nous étions trop hâtés et arrivâmes au carrefour bien avant la voiture que, par une autre route et pour nous laisser le temps de causer, la tante faisait avancer très lentement. Nous nous assîmes sur le talus ; le vent froid qui soudain s'éleva nous transit, car nous étions en nage ; alors nous nous levâmes pour aller à la rencontre de la voiture . . .

Mais le pire fut encore la pressante sollicitude de la pauvre tante, convaincue que nous avions abondamment parlé, prête à nous questionner sur nos fiançailles. Alissa, n'y pouvant tenir et dont les yeux s'emplissaient de larmes, prétexta un violent mal de tête. Le retour s'acheva silencieusement.

Le jour suivant, je me réveillai courbaturé, grippé,* si souffrant que je ne me décidai qu'après midi à retourner chez les Bucolin. Par malchance, Alissa n'était pas seule. Madeleine Plantier, une des petites-filles de notre tante Félicie, était là — avec qui je savais qu'Alissa prenait souvent plaisir à causer. Elle habitait pour quelques jours chez sa grand'mère et s'écria lorsque j'entrai :

— Si tu retournes à la Côte en sortant d'ici, nous pourrons y monter ensemble.

Machinalement j'acquiesçai ; de sorte que je ne pus voir Alissa seule. Mais la présence de cette enfant aimable nous servit sans doute ; je ne retrouvai pas la gêne intolérable de la veille ; la conversation s'établit bientôt aisément entre nous trois et beaucoup moins futile que je ne l'aurais d'abord pu craindre.* Alissa sourit étrangement lorsque je lui dis adieu ; il me parut qu'elle n'avait pas compris jusqu'alors que je partais le lendemain. Du reste, la perspective d'un très prochain revoir enlevait à mon adieu ce qu'il eût pu avoir de tragique.

Pourtant, après dîner, poussé par une vague inquiétude, je redescendis en ville, où j'errai près d'une heure avant de me décider à sonner de nouveau chez les Bucolin. Ce fut mon oncle qui me reçut. Alissa, se sentant souffrante, était déjà montée dans sa chambre et sans doute s'était aussitôt couchée. Je causai quelques instants avec mon oncle, puis repartis. . .

Si fâcheux que fussent ces contretemps, en vain les accuserais-je.* Quand bien même* tout nous eût secondés, nous eussions inventé notre gêne. Mais qu'Alissa, elle aussi, le sentît, rien ne pouvait me désoler davantage. Voici la lettre que, sitôt de retour à Paris, je reçus :

Mon ami, quel triste revoir ! tu semblais dire que la faute en était aux autres, mais tu n'as pu t'en persuader toi-même. Et maintenant je crois, je sais qu'il en sera toujours ainsi. Ah ! je t'en prie, ne nous revoyons plus !

Pourquoi cette gêne, ce sentiment de fausse position, cette paralysie, ce mutisme, quand nous avons tout à nous dire ? Le premier jour de ton retour j'étais heureuse de ce silence même, parce que je croyais qu'il se dissiperait, que tu me dirais des choses merveilleuses : tu ne pouvais partir auparavant.

Mais quand j'ai vu s'achever silencieuse notre lugubre promenade à Orcher et surtout quand nos mains se sont déprises* l'une de l'autre et sont retombées sans espoir, j'ai cru que mon cœur défaillait de détresse et de peine. Et ce qui me désolait le plus ce n'était pas que ta main eût lâché la mienne, mais de sentir que, si elle ne l'eût point fait, la mienne eût commencé — puisque non plus elle ne se plaisait plus dans la tienne.

Le lendemain — c'était hier — je t'ai follement attendu toute la matinée. Trop inquiète pour demeurer à la maison, j'avais laissé un mot qui t'indiquât où me rejoindre, sur la jetée. Longtemps j'étais restée à regarder la mer houleuse, mais je souffrais trop de regarder sans toi ; je suis rentrée, m'imaginant soudain que tu m'attendais dans ma chambre. Je savais que l'après-midi je ne serais pas libre ; Madeleine, la veille, m'avait annoncé sa visite et comme je comptais te voir le matin, je l'avais laissée venir. Mais peut-être n'est-ce qu'à sa présence que nous devons les seuls bons moments de ce revoir. J'eus l'étrange illusion, quelques instants, que cette conversation aisée allait durer longtemps, longtemps. . . Et quand tu t'es approché du canapé où j'étais assise avec elle et que, te penchant vers moi, tu m'as dit *adieu*, je n'ai pu te répondre ; il m'a semblé que tout finissait : brusquement, je venais de comprendre que tu partais.

Tu n'étais pas plutôt sorti avec Madeleine que cela m'a paru impossible, intolérable. Sais-tu que je suis ressortie ! je voulais te parler encore, te dire enfin tout ce que je ne t'avais point dit ; déjà je courais chez les Plantier . . . il était tard ; je n'ai pas eu le temps, pas osé. Je suis rentrée, désespérée, t'écrire . . . que je ne voulais plus t'écrire . . . une lettre d'adieu . . . parce qu'enfin je sentais trop que notre correspondance tout entière n'était qu'un grand mirage, que chacun de nous n'écrivait, hélas ! qu'à soi-même et que. . . Jérôme ! Jérôme ! ah ! que nous restions toujours éloignés !

J'ai déchiré cette lettre, il est vrai ; mais je te la récris à présent, presque la même. Oh ! je ne t'aime pas moins, mon ami ! au contraire je n'ai jamais si bien senti, à mon trouble même, à ma gêne dès que tu t'approchais de moi, combien profondément je t'aimais ; mais désespérément, vois-tu, car, il faut bien me l'avouer : de loin je t'aimais davantage. Déjà je m'en doutais, hélas ! Cette rencontre tant souhaitée achève de m'en instruire, et c'est de quoi, toi aussi, mon ami, il importe de te convaincre. Adieu, mon frère tant aimé ; que Dieu te garde et te dirige : de Lui seul on peut impunément se rapprocher.*

Et comme si cette lettre ne m'était pas déjà suffisamment douloureuse, elle y avait, le lendemain, ajouté ce post-scriptum :

Je ne voudrais pas laisser partir cette lettre sans te demander un peu plus de discrétion en ce qui nous concerne tous deux. Maintes fois tu m'as blessée en entretenant Juliette ou Abel de ce qui eût dû rester entre toi et moi, et c'est bien là ce qui, longtemps avant que tu t'en doutes, m'a fait penser que ton amour était surtout un amour de tête, un bel entêtement intellectuel de tendresse et de fidélité.

La crainte que je ne montre cette lettre à Abel, indubitablement, en avait dicté les dernières lignes. Quelle défiante perspicacité l'avait donc mise en garde ? Avait-elle surpris naguère dans mes paroles quelque reflet des conseils de mon ami ? . . .

Je me sentais bien distant de lui désormais ! Nous suivions deux voies divergentes ; et cette recommandation était bien superflue pour m'apprendre à porter seul le tourmentant fardeau de mon chagrin.

Les trois jours suivants furent uniquement occupés par ma plainte ; je voulais répondre à Alissa ; je craignais, par une discussion trop posée, par une protestation trop véhémente, par le moindre mot maladroit, d'aviver incurablement notre blessure ; vingt fois je recommençai la lettre où se débattait mon amour. Je ne puis relire aujourd'hui sans pleurer ce papier lavé de larmes, double de celui qu'enfin je me décidai à envoyer :

Alissa ! aie pitié de moi, de nous deux ! . . . Ta lettre me fait mal. Que j'aimerais pouvoir sourire à tes craintes ! Oui, je sentais tout ce que tu m'écris ; mais je craignais de me le dire. Quelle affreuse réalité tu donnes à ce qui n'est qu'imaginaire et comme tu l'épaissis entre nous !

Si tu sens que tu m'aimes moins. . . Ah ! loin de moi cette supposition cruelle que toute la lettre dément ! Mais alors qu'importent tes appréhensions passagères ? Alissa ! dès que je veux raisonner, ma phrase se glace ; je n'entends plus que le gémissement de mon cœur. Je t'aime trop pour être habile, et plus je t'aime moins je sais te parler. « Amour de tête » . . . que veux-tu que je réponde à cela ? Quand c'est de mon âme entière que je t'aime, comment saurais-je distinguer entre mon intelligence et mon cœur ? Mais puisque notre correspondance est cause de ton imputation offensante, puisque, soulevés par elle, la chute dans la réalité ensuite nous a si durement meurtris, puisque tu croirais à présent, si tu m'écris, n'écrire plus qu'à toi-même, puisque aussi, pour endurer une nouvelle lettre pareille à cette dernière, je suis sans force : je t'en prie, arrêtons pour un temps toute correspondance entre nous.

Dans la suite de ma lettre, protestant contre son jugement, j'interjetais appel, la suppliais de nous faire crédit* d'une nouvelle entrevue. Celle-ci avait eu tout contre elle : décor, comparses,* saison — et jusqu'à notre correspondance exaltée qui nous y avait si peu prudemment préparés. Le silence seul précéderait cette fois notre rencontre. Je la souhaitais au printemps, à Fongueusemare, où je pensais que plaiderait en ma faveur le passé, et où mon oncle voudrait bien me recevoir, pendant les vacances de Pâques, autant de jours ou aussi peu qu'elle-même le jugerait bon.

Ma résolution était bien arrêtée, et, sitôt ma lettre partie,* je pus me plonger dans le travail.

* * *

Je devais revoir Alissa dès avant la fin de l'année. Miss Ashburton, dont la santé depuis quelques mois déclinait, mourut quatre jours avant Noël. Depuis mon retour du service, j'habitais avec elle de nouveau ; je ne la quittais guère, et pus assister à ses derniers instants. Une carte d'Alissa me témoigna qu'elle prenait à cœur notre vœu de silence plus encore que mon deuil : elle viendrait entre deux trains,* seulement pour l'inhumation, à laquelle mon oncle ne pourrait assister.

Nous fûmes presque seuls, elle et moi, à la funèbre cérémonie,* puis à suivre la bière ; marchant à côté l'un de l'autre, à peine échangeâmes-nous quelques phrases ; mais, à l'église, où elle s'était assise auprès de moi, je sentis à plusieurs reprises son regard se poser sur moi tendrement.

— C'est bien convenu, me dit-elle, sur le moment de me quitter : rien avant Pâques.

— Oui ; mais à Pâques. . .

— Je t'attends.

Nous étions à la porte du cimetière. Je proposai de la reconduire à la gare ; mais elle fit signe à une voiture et sans un mot d'adieu me laissa.

VII

— Alissa t'attend dans le jardin, me dit mon oncle, après m'avoir embrassé paternellement, lorsque, à la fin d'avril, j'arrivai à Fongueusemare. Si d'abord je fus déçu de ne pas la trouver prompte à m'accueillir, tout aussitôt après je lui sus gré de nous épargner à tous deux l'effusion banale des premiers instants du revoir.

Elle était au fond du jardin. Je m'acheminai vers ce rond-point, étroitement entouré de buissons, à cette époque de l'année tout en fleurs, lilas, sorbiers, cytises, weigelias ;* pour ne point l'apercevoir de trop loin, ou pour qu'elle ne me vît pas venir, je suivis, de l'autre côté du jardin, l'allée sombre où l'air était frais sous les branches. J'avançais lentement ; le ciel était comme ma joie, chaud, brillant, délicatement pur. Sans doute elle m'attendait venir par l'autre allée ; je fus près d'elle, derrière elle, sans qu'elle m'eût entendu approcher ; je m'arrêtai. . . Et comme si le temps eût pu s'arrêter avec moi : Voici l'instant, pensai-je, l'instant le plus délicieux peut-être, quand il précéderait le bonheur même, et que le bonheur même ne vaudra pas. . .

Je voulais tomber à genoux devant elle ; je fis un pas, qu'elle entendit. Elle se dressa soudain, laissant rouler à terre la broderie qui l'occupait, tendit les bras vers moi, posa ses mains sur mes épaules. Quelques instants nous demeurâmes ainsi, elle, les bras tendus, la tête souriante et penchée, me regardant tendrement sans rien dire. Elle était vêtue toute en blanc. Sur son visage presque trop grave, je retrouvais son sourire d'enfant. . .

— Écoute, Alissa, m'écriai-je tout d'un coup : j'ai douze

ours libres devant moi. Je n'en resterai pas un de plus qu'il e te plaira. Convenons d'un signe qui voudra dire : c'est lemain qu'il faut quitter Fongueusemare. Le lendemain, sans écriminations, sans plaintes, je partirai. Consens-tu ?

N'ayant point préparé mes phrases, je parlais plus aisément. Elle réfléchit un moment, puis :

— Le soir où, descendant pour dîner, je ne porterai pas à non cou la croix d'améthystes que tu aimes . . . comprendras-u ?

— Que ce sera mon dernier soir.

— Mais sauras-tu partir, reprit-elle, sans larmes, sans oupirs. . .

— Sans adieux. Je te quitterai ce dernier soir comme je 'aurais fait la veille, si simplement que tu te demanderas d'abord : n'aurait-il pas compris ? mais quand tu me chercheras, le lendemain matin, simplement je ne serai plus là.

— Le lendemain je ne te chercherai plus.

Elle me tendit la main ; comme je la portais à mes lèvres :

— D'ici le soir fatal,* dis-je encore, pas une allusion qui me fasse rien pressentir.

— Toi, pas une allusion à la séparation qui suivra.

Il fallait à présent rompre la gêne que la solennité de ce revoir risquait d'élever entre nous.

— Je voudrais tant, repris-je, que ces quelques jours près de toi nous paraissent pareils à d'autres jours. . . Je veux dire : ne pas sentir, tous deux, qu'ils sont exceptionnels. Et puis . . . si nous pouvions ne pas trop chercher à causer d'abord. . .

Elle se mit à rire. J'ajoutai :

— N'y a-t-il rien à quoi nous puissions nous occuper ensemble ?

De tout temps nous avions pris plaisir au jardinage. Un jardinier sans expérience remplaçait l'ancien depuis peu, et le jardin, abandonné durant deux mois, offrait beaucoup à faire. Des rosiers étaient mal taillés ; certains, à végétation* puissante restaient encombrés de bois mort ; d'autres, grimpants croulaient, mal soutenus ; des gourmands en épuisaient d'autres. La plupart avaient été greffés par nous ; nous reconnaissions nos élèves ;* les soins qu'ils réclamaient nous occupèrent longuement et nous permirent, les trois premiers jours, de beaucoup parler sans rien dire de grave, et, lorsque nous nous taisions, de ne point sentir peser le silence.

C'est ainsi que nous reprîmes l'habitude l'un de l'autre.* Je comptais sur cette accoutumance* plus que sur n'importe quelle explication. Le souvenir même de notre séparation déjà s'effaçait entre nous, et déjà diminuaient cette crainte que souvent je sentais en elle, cette contraction de l'âme qu'elle craignait en moi. Alissa, plus jeune qu'à ma triste visite d'automne, ne m'avait jamais paru plus jolie. Je ne l'avais pas encore embrassée. Chaque soir je revoyais sur son corsage retenue par une chaînette d'or, la petite croix d'améthystes briller. En confiance,* l'espoir renaissait dans mon cœur ; que dis-je : espoir ? c'était déjà de l'assurance, et que j'imaginais sentir également chez Alissa ; car je doutais si peu de moi que je ne pouvais plus douter d'elle. Peu à peu nos propos s'enhardirent.

— Alissa, lui dis-je un matin que l'air charmant riait et que notre cœur s'ouvrait comme les fleurs, — à présent que Juliette est heureuse, ne nous laisseras-tu pas, nous aussi. . .

Je parlais lentement, les yeux sur elle ; elle devint soudain pâle si extraordinairement que je ne pus achever ma phrase.

— Mon ami ! commença-t-elle, et sans tourner vers moi son regard — je me sens plus heureuse auprès de toi que je n'aurais cru qu'on pût l'être . . . mais crois-moi : nous ne sommes pas nés pour le bonheur.

— Que peut préférer l'âme au bonheur ? m'écriai-je impétueusement. Elle murmura :

— La sainteté . . . si bas que, ce mot, je le devinai plutôt que je ne pus l'entendre.

Tout mon bonheur ouvrait les ailes, s'échappait de moi vers les cieux.

— Je n'y parviendrai pas sans toi, dis-je, et le front dans ses genoux, pleurant comme un enfant, mais d'amour et non point de tristesse, je repris : pas sans toi ; pas sans toi !

Puis ce jour s'écoula comme les autres jours. Mais au soir Alissa parut sans le petit bijou d'améthystes. Fidèle à ma promesse, le lendemain, dès l'aube, je partis.

Je reçus le surlendemain l'étrange lettre que voici, portant en guise d'épigraphe* ces quelques vers de Shakespeare :

That strain again,—it had a dying fall:
O, it came o'er my ear like the sweet south,
That breathes upon a bank of violets,
Stealing and giving odour.—Enough; no more,
*'Tis not so sweet now as it was before . . .**

Oui ! malgré moi je t'ai cherché tout le matin, mon frère. Je ne pouvais te croire parti. Je t'en voulais d'avoir tenu notre promesse. Je pensais : c'est un jeu. Derrière chaque buisson, j'allais te voir apparaître.—Mais non ! ton départ est réel. Merci.

J'ai passé le reste du jour obsédée par la constante présence de certaines pensées, que je voudrais te communiquer — et la crainte bizarre, précise, que, si je ne te les communiquais pas, j'aurais plus tard le sentiment d'avoir manqué envers toi, mérité ton reproche. . .

Je m'étonnais, aux premières heures de ton séjour à Fongueusemare, je m'inquiétai vite ensuite de cet étrange contentement de tout mon être que j'éprouvais près de toi ; « un contentement tel, me disais-tu, que je ne souhaite rien au-delà ! » Hélas ! c'est cela même qui m'inquiète. . .

Je crains, mon ami, de me faire mal comprendre. Je crains surtout que tu ne voies un raisonnement subtil (oh ! combien il serait maladroit) dans ce qui n'est que l'expression du plus violent sentiment de mon âme.

« S'il ne suffisait pas, ce ne serait pas le bonheur » — m'avais-tu dit, t'en souviens-tu ? Et je n'avais su que répondre. — Non, Jérôme, il ne nous suffit pas. Jérôme, il ne doit pas nous suffire. Ce contentement plein de délices, je ne puis le tenir pour véritable. N'avons-nous pas compris cet automne quelle détresse il recouvrait ?...

Véritable ! ah ! Dieu nous garde* qu'il le soit ! nous sommes nés pour un autre bonheur...

Ainsi que notre correspondance naguère gâta notre revoir de l'automne, le souvenir de ta présence d'hier désenchante ma lettre aujourd'hui. Qu'est devenu ce ravissement que j'éprouvais à t'écrire ? Par les lettres, par la présence, nous avons épuisé tout le pur de* la joie à laquelle notre amour peut prétendre. Et maintenant, malgré moi, je m'écrie comme Orsino du *Soir des Rois* :* « Assez ! pas davantage ! Ce n'est plus aussi suave que tout à l'heure. »

Adieu, mon ami. *Hic incipit amor Dei.** Ah ! sauras-tu jamais combien je t'aime.. Jusqu'à la fin je serai ton

Alissa

Contre le piège de la vertu, je restais sans défense. Tout héroïsme, en m'éblouissant, m'attirait — car je ne le séparais pas de l'amour... La lettre d'Alissa m'enivra du plus téméraire enthousiasme. Dieu sait que je ne m'efforçais vers plus de vertu que pour elle. Tout sentier, pourvu qu'il montât, me mènerait où la rejoindre. Ah ! le terrain ne se rétrécirait jamais trop vite, pour ne supporter plus que nous deux ! Hélas ! je ne soupçonnais pas la subtilité de sa feinte, et j'imaginais mal* que ce fût par une cime* qu'elle pourrait de nouveau m'échapper.

Je lui répondis longuement. Je me souviens du seul passage à peu près clairvoyant de ma lettre.

« Il me paraît souvent, lui disais-je, que mon amour est ce que je garde en moi de meilleur ; que toutes mes vertus s'y suspendent ;* qu'il m'élève au-dessus de moi, et que sans quoi* je retomberais à cette médiocre hauteur d'un naturel très ordinaire. C'est par l'espoir de te rejoindre que le sentier le plus ardu m'apparaîtra toujours le meilleur.» Qu'ajoutai-je qui pût la pousser à me répondre ceci :

> Mais, mon ami, la sainteté n'est pas un choix : c'est une obligation [*le mot était souligné trois fois dans sa lettre*]. Si tu es celui que j'ai cru, toi non plus tu ne pourras pas t'y soustraire.

C'était tout. Je compris, pressentis plutôt, que là s'arrêterait notre correspondance, et que le conseil le plus retors, non plus que la volonté la plus sûre, n'y pourrait rien.

Je récrivis pourtant, longuement, tendrement. Après ma troisième lettre, je reçus ce billet :

> Mon ami,
>
> Ne crois point que j'aie pris quelque résolution de ne plus t'écrire ; simplement je n'y ai plus de goût. Tes lettres cependant m'amusent* encore, mais je me reproche de plus en plus d'occuper à ce point ta pensée.
>
> L'été n'est plus loin. Renonçons pour un temps à correspondre et viens passer à Fongueusemare les quinze derniers jours de septembre près de moi. Acceptes-tu ? Si oui, je n'ai pas besoin de réponse. Je prendrai ton silence pour un assentiment et souhaite donc que tu ne me répondes pas.

Je ne répondis pas. Sans doute ce silence n'était qu'une épreuve dernière à laquelle elle me soumettait. Quand, après quelques mois de travail, puis quelques semaines de voyage, je revins à Fongueusemare, ce fut avec la plus tranquille assurance.

Comment, par un simple récit, amènerais-je à comprendre* aussitôt ce que je m'expliquai* d'abord si mal ? Que puis-je peindre ici que l'occasion de la détresse à laquelle je cédai dès lors tout entier ? Car si je ne trouve aujourd'hui nul pardon en moi pour moi-même de n'avoir su sentir, sous le revêtement de la plus factice apparence, palpiter encore l'amour, je ne pus voir que cette apparence d'abord et, ne retrouvant plus mon amie, l'accusai. . . Non, même alors je ne vous accusai pas, Alissa ! mais pleurai désespérément de ne plus vous reconnaître. A présent que je mesure la force de votre amour à la ruse de son silence et à sa cruelle industrie, dois-je vous aimer d'autant plus que vous m'aurez plus atrocement désolé ? . . .

Dédain ? Froideur ? Non ; rien qui se pût vaincre ; rien contre quoi je pusse même lutter ; et parfois j'hésitais, doutais si je n'inventais pas ma misère, tant la cause en restait subtile et tant Alissa se montrait habile à feindre de ne la comprendre pas. De quoi donc me fussé-je plaint ? Son accueil fut plus souriant que jamais ; jamais elle ne s'était montrée plus empressée, plus prévenante ; le premier jour je m'y laissai presque tromper. . . Qu'importait, après tout, qu'une nouvelle façon de coiffure, plate et tirée, durcît les traits de son visage comme pour en fausser l'expression ; qu'un malséant corsage, de couleur morne, d'étoffe laide au toucher, gauchît le rythme délicat de son corps . . . ce n'était rien à quoi elle ne pût porter remède, et dès le lendemain, pensai-je aveuglément, d'elle-même ou sur ma requête. . . Je m'affectai davantage de* ces prévenances, de cet empressement, si peu coutumiers entre nous, et où je craignais de voir plus de résolution que d'élan, et j'ose à peine dire : plus de politesse que d'amour.

Le soir, entrant dans le salon, je m'étonnai de ne plus retrouver le piano à sa place accoutumée ; à mon exclamation désappointée :

— Le piano est à regarnir,* mon ami, répondit Alissa, et de sa voix la plus tranquille.

— Je te l'ai pourtant répété, mon enfant, dit mon oncle sur un ton de reproche presque sévère : puisqu'il t'avait suffi jusqu'à présent, tu aurais pu attendre le départ de Jérôme pour l'expédier ; ta hâte nous prive d'un grand plaisir. . .

— Mais, père, dit-elle en se détournant pour rougir, je t'assure que, ces derniers temps, il était devenu si creux que Jérôme lui-même n'aurait pu rien en tirer.

— Quand tu en jouais, reprit mon oncle, il ne paraissait pas si mauvais.

Elle resta quelques instants, penchée vers l'ombre, comme occupée à relever les mesures d'une housse de fauteuil, puis quitta brusquement la pièce et ne reparut que plus tard, apportant sur un plateau la tisane* que mon oncle avait accoutumé de prendre chaque soir.

Le lendemain elle ne changea ni de coiffure, ni de corsage ; assise près de son père sur un banc devant la maison, elle reprit l'ouvrage de couture, de rapiéçage plutôt qui l'avait occupée déjà dans la soirée. A côté d'elle, sur le banc ou sur la table, elle puisait dans* un grand panier plein de bas et de chaussettes usés. Quelques jours après, ce furent des serviettes et des draps. . . Ce travail l'absorbait complètement, semblait-il, au point que ses lèvres en perdissent toute expression et ses yeux toute lueur.

— Alissa ! m'écriai-je le premier soir, presque épouvanté par la dépoétisation* de ce visage qu'à peine pouvais-je reconnaître et que je fixais depuis quelques instants sans qu'elle parût sentir mon regard.

— Quoi donc ? fit-elle en levant la tête.

— Je voulais voir si tu m'entendrais. Ta pensée semblait si loin de moi.

— Non ; je suis là ; mais ces reprises demandent beaucoup d'attention.

— Pendant que tu couds, ne veux-tu pas que je te fasse la lecture ?

— Je crains de ne pas pouvoir très bien écouter.

— Pourquoi choisis-tu un travail si absorbant ?

— Il faut bien que quelqu'un le fasse.

— Il y a tant de pauvres femmes pour qui ce serait un gagne-pain. Ce n'est pourtant pas par économie que tu t'astreins à ce travail ingrat ?

Elle m'affirma tout aussitôt qu'aucun ouvrage ne l'amusait davantage, que depuis longtemps elle n'en avait plus fait d'autres, pour quoi* sans doute elle avait perdu toute habileté. . . Elle souriait en parlant. Jamais sa voix n'avait été plus douce que pour ainsi me désoler. « Je ne dis là rien que de naturel, semblait exprimer son visage, pourquoi t'attristerais-tu de cela ? » — Et toute la protestation de mon cœur ne montait même plus à mes lèvres, m'étouffait.

Le surlendemain, comme nous avions cueilli des roses, elle m'invita à les lui porter dans sa chambre où je n'étais pas encore entré cette année. De quel espoir aussitôt me flattai-je ! Car j'en étais encore à* me reprocher ma tristesse ; un mot d'elle eût guéri mon cœur.

Je n'entrais jamais sans émotion dans cette chambre ; je ne sais de quoi s'y formait une sorte de paix mélodieuse où je reconnaissais Alissa. L'ombre bleue des rideaux aux fenêtres et autour du lit, les meubles de luisant acajou, l'ordre, la netteté, le silence, tout racontait à mon cœur sa pureté et sa pensive grâce.

Je m'étonnai, ce matin-là, de ne plus voir au mur, près de son lit, deux grandes photographies de Masaccio* que j'avais rapportées d'Italie ; j'allais lui demander ce qu'elles étaient devenues, quand mon regard tomba tout auprès sur l'étagère où elle rangeait ses livres de chevet. Cette petite bibliothèque s'était lentement formée moitié par les livres que je lui avais donnés, moitié par d'autres que nous avions lus ensemble. Je venais de m'apercevoir que ces livres étaient tous enlevés, remplacés uniquement par d'insignifiants petits ouvrages de piété vulgaire pour lesquels j'espérais qu'elle n'avait que du mépris. Levant les yeux soudain, je vis Alissa qui riait — oui, qui riait en m'observant.

— Je te demande pardon, dit-elle aussitôt ; c'est ton visage qui m'a fait rire ; il s'est si brusquement décomposé en apercevant ma bibliothèque. . .

J'étais bien peu d'humeur à plaisanter.

— Non vraiment, Alissa, est-ce là ce que tu lis à présent ?

— Mais oui. De quoi t'étonnes-tu ?

— Je pensais qu'une intelligence habituée à de substantielles nourritures ne pouvait plus goûter à de semblables fadeurs sans nausée.

— Je ne te comprends pas, dit-elle. Ce sont là d'humbles âmes qui causent avec moi simplement, s'exprimant de leur mieux, et dans la société desquelles je me plais. Je sais d'avance que nous ne céderons, ni elles à aucun piège du beau langage, ni moi, en les lisant, à aucune profane admiration.

— Ne lis-tu donc plus que cela ?

— A peu près. Oui, depuis quelques mois. Du reste, je ne trouve plus beaucoup de temps pour lire. Et je t'avoue que, tout récemment, ayant voulu reprendre quelqu'un de ces grands auteurs que tu m'avais appris à admirer, je me suis fait l'effet de* celui dont parle l'Écriture,* qui s'efforce d'ajouter une coudée à sa taille.

— Quel est ce « grand auteur » qui t'a donné si bizarre opinion de toi ?

— Ce n'est pas lui qui me l'a donnée ; mais c'est en le lisant que je l'ai prise. . . C'était Pascal.* J'étais peut-être tombée sur quelque moins bon passage. . .

Je fis un geste d'impatience. Elle parlait d'une voix claire et monotone, comme elle eût récité une leçon, ne levant plus les yeux de dessus ses fleurs, qu'elle n'en finissait pas d'arranger. Un instant elle s'interrompit devant mon geste, puis continua du même ton :

— Tant de grandiloquence étonne, et tant d'effort ; et pour prouver si peu. Je me demande parfois si son intonation pathétique n'est pas l'effet plutôt du doute que de la foi. La foi parfaite n'a pas tant de larmes ni de tremblement dans la voix.

— C'est ce tremblement, ce sont ces larmes qui font la beauté de cette voix — essayai-je de repartir, mais sans courage, car je ne reconnaissais dans ces paroles rien de ce que je chérissais dans Alissa. Je les transcris telles que je m'en souviens et sans y apporter après coup art ni logique.

— S'il n'avait pas d'abord vidé la vie présente de sa joie, reprit-elle, elle pèserait plus lourd dans la balance* que. . .

— Que quoi ? fis-je, interdit par ses étranges propos.

— Que l'incertaine félicité qu'il propose.

— N'y crois-tu donc pas ? m'écriai-je.

— Qu'importe ! reprit-elle ; je veux qu'elle demeure incertaine afin que tout soupçon de marché soit écarté. C'est par noblesse naturelle, non par espoir de récompense, que l'âme éprise de Dieu va s'enfoncer dans la vertu.

— De là ce secret scepticisme où se réfugie la noblesse d'un Pascal.

— Non scepticisme : jansénisme,* dit-elle en souriant. Qu'avais-je affaire de cela ?* Les pauvres âmes que voici — et elle se retournait vers ses livres — seraient bien embarrassées de dire si elles sont jansénistes, quiétistes* ou je ne sais quoi de différent. Elles s'inclinent devant Dieu comme des herbes qu'un vent presse, sans malice, sans trouble, sans beauté. Elles se tiennent pour peu remarquables et savent qu'elles ne doivent quelque valeur qu'à leur effacement devant Dieu

— Alissa ! m'écriai-je, pourquoi t'arraches-tu les ailes ?

Sa voix restait si calme et naturelle que mon exclamation

n'en parut d'autant plus ridiculement emphatique.

Elle sourit de nouveau, en secouant la tête.

— Tout ce que j'ai retenu de cette dernière visite à Pascal...

— Quoi donc ? demandai-je, car elle s'arrêtait.

— C'est ce mot du Christ : « Qui veut sauver sa vie la erdra. »* Pour le reste, reprit-elle en souriant plus fort et n me regardant bien en face, en vérité je ne l'ai presque plus ompris. Quand on a vécu quelque temps dans la société de es petits, c'est extraordinaire combien vite la sublimité des rands vous essouffle.

Dans mon désarroi n'allais-je trouver rien à répondre ?...

— S'il me fallait aujourd'hui lire avec toi tous ces sermons, es méditations...

— Mais, interrompit-elle, je serais désolée de te les voir lire ! e crois en effet que tu es né pour beaucoup mieux que cela.

Elle parlait tout simplement et sans paraître se douter que es mots qui séparaient ainsi nos deux vies pussent me déchirer : cœur. J'avais la tête en feu ; j'aurais voulu parler encore et leurer ; peut-être eût-elle été vaincue par mes larmes ; mais e restais sans plus rien dire, les coudes appuyés sur la cheminée t le front dans les mains. Elle continuait tranquillement 'arranger ses fleurs, ne voyant rien de ma douleur, ou faisant emblant de n'en rien voir...

A ce moment retentit la première cloche du repas.

— Jamais je ne serai prête pour le déjeuner, dit-elle. Laisse-noi vite. — Et comme s'il ne s'était agi que d'un jeu :

— Nous reprendrons cette conversation plus tard.

Cette conversation ne fut pas reprise. Alissa m'échappait ans cesse ; non qu'elle parût jamais se dérober ; mais toute ccupation de rencontre s'imposait aussitôt en devoir de eaucoup plus pressante importance. Je prenais rang ;* je ne enais qu'après les soins toujours renaissants* du ménage, u'après la surveillance des travaux qu'on avait dû faire à la

grange, qu'après les visites aux fermiers, les visites aux pauvres
dont elle s'occupait de plus en plus. J'avais ce qui restait de
temps, bien peu ; je ne la voyais jamais qu'affairée, — mais
c'est peut-être encore à travers ces menus soins et renonçant à
la poursuivre que je sentais le moins combien j'étais dépossédé.
La moindre conversation m'en avertissait davantage.* Quand
Alissa m'accordait quelques instants, c'était en effet pour une
conversation des plus gauches, à laquelle elle se prêtait comme
on fait au jeu d'un enfant. Elle passait rapidement près de
moi, distraite et souriante, et je la sentais devenue plus lointaine
que si je ne l'eusse jamais connue. Même je croyais voir
parfois dans son sourire quelque défi, du moins quelque ironie,
et qu'elle prît amusement* à éluder ainsi mon désir. . . Puis
aussitôt je retournais contre moi tout grief, ne voulant pas me
laisser aller au reproche et ne sachant plus bien ce que j'aurais
attendu d'elle, ni ce que je pouvais lui reprocher.

Ainsi s'écoulèrent les jours dont je m'étais promis tant de
félicité. J'en contemplais avec stupeur la fuite,* mais n'en
eusse voulu ni augmenter le nombre ni ralentir le cours, tant
chacun aggravait ma peine. L'avant-veille de mon départ
pourtant, Alissa m'ayant accompagné au banc de la marnière
abandonnée — c'était par un clair soir d'automne où jusqu'à
l'horizon sans brume on distinguait bleui chaque détail, dans
le passé jusqu'au plus flottant souvenir — je ne pus retenir ma
plainte, montrant du deuil de quel bonheur mon malheur
d'aujourd'hui se formait.

— Mais que puis-je à ceci, mon ami ? dit-elle aussitôt : tu
tombes amoureux d'un fantôme.

— Non, point d'un fantôme, Alissa.

— D'une figure imaginaire.

— Hélas ! je ne l'invente pas. Elle était mon amie. Je l
rappelle. Alissa ! Alissa ! vous étiez celle que j'aimais
Qu'avez-vous fait de vous ? Que vous êtes-vous fait devenir

Elle demeura quelques instants sans répondre, effeuillant lentement une fleur et gardant la tête baissée. Puis enfin :

— Jérôme, pourquoi ne pas avouer tout simplement que tu m'aimes moins ?

— Parce que ce n'est pas vrai ! parce que ce n'est pas vrai, m'écriai-je avec indignation ; parce que je ne t'ai jamais plus aimée.

— Tu m'aimes . . . et pourtant tu me regrettes ! dit-elle en tâchant de sourire et en haussant un peu les épaules.

— Je ne peux mettre au passé mon amour.

Le sol cédait sous moi ; et je me raccrochais à tout. .

— Il faudra bien qu'il passe avec le reste.

— Un tel amour ne passera qu'avec moi.

— Il s'affaiblira lentement. L'Alissa que tu prétends aimer encore n'est déjà plus que dans ton souvenir ; un jour viendra où tu te souviendras seulement de l'avoir aimée.

— Tu parles comme si rien* la pouvait remplacer* dans mon cœur, ou comme si mon cœur devait cesser d'aimer. Ne te souviens-tu plus de m'avoir aimé toi-même, que tu puisses ainsi te plaire à me torturer.

Je vis ses lèvres pâles trembler ; d'une voix presque indistincte elle murmura :

— Non ; non ; ceci n'a pas changé dans Alissa.

— Mais alors rien n'aurait changé, dis-je en lui saisissant le bras...

Elle reprit, plus assurée :

— Un mot expliquerait tout ; pourquoi n'oses-tu pas le dire ?

— Lequel ?

— J'ai vieilli.

— Tais-toi. . .

Je protestai tout aussitôt que j'avais vieilli moi-même autant qu'elle, que la différence d'âge entre nous restait la même . . . mais elle s'était ressaisie ; l'instant unique était passé et, me laissant aller à discuter, j'abandonnais tout avantage; je perdis pied.

Je quittai Fongueusemare deux jours après, mécontent d'elle et de moi-même, plein d'une haine vague contre ce que j'appelais encore « vertu » et de ressentiment contre l'ordinaire occupation de mon cœur. Il semblait qu'en ce dernier revoir, et par l'exagération même de mon amour, j'eusse usé toute ma ferveur ; chacune des phrases d'Alissa, contre lesquelles je m'insurgeais d'abord, restait en moi vivante et triomphante après que mes protestations s'étaient tues. Eh ! sans doute elle avait raison ! je ne chérissais plus qu'un fantôme ; l'Alissa que j'avais aimée, que j'aimais encore n'était plus. . . Eh ! sans doute nous avions vieilli ! cette dépoétisation* affreuse, devant quoi tout mon cœur se glaçait, n'était rien, après tout, que le retour au naturel ; lentement si je l'avais surélevée, si je m'étais formé d'elle une idole, l'ornant de tout ce dont j'étais épris, que restait-il de mon travail que ma fatigue ? . . . Sitôt abandonnée à elle-même, Alissa était revenue à son niveau, médiocre niveau, où je me retrouvais moi-même, mais où je ne la désirais plus. Ah ! combien cet effort épuisant de vertu m'apparaissait absurde et chimérique, pour* la rejoindre à ces hauteurs où mon unique effort l'avait placée. Un peu moins orgueilleux, notre amour eût été facile . . . mais que signifiait désormais l'obstination* dans un amour sans objet ; c'était être entêté, ce n'était plus être fidèle. Fidèle à quoi ? — à une erreur. Le plus sage n'était-il pas de m'avouer que je m'étais trompé ? . . .

Proposé cependant pour l'École d'Athènes, j'acceptai d'y entrer aussitôt, sans ambition, sans goût, mais souriant à l'idée de départ comme à celle d'une évasion.

VIII

Pourtant je revis encore Alissa. . . Ce fut trois ans plus tard, vers la fin de l'été. Dix mois auparavant, j'avais appris par elle la mort de mon oncle. Une assez longue lettre que je lui écrivis aussitôt, de Palestine où je voyageais alors, était demeurée sans réponse. . .

J'oublie sous quel prétexte, me trouvant au Havre, par un acheminement naturel,* je gagnai Fongueusemare. Je savais y trouver Alissa,* mais craignais qu'elle n'y fût point seule. Je n'avais pas annoncé ma venue ; répugnant à l'idée de me présenter comme une visite ordinaire, j'avançais incertain : entrerais-je ? ou ne repartirais-je pas plutôt sans l'avoir vue, sans avoir cherché à la voir. . . Oui, sans doute ; je me promènerais seulement dans l'avenue, m'assiérais sur le banc où peut-être elle venait s'asseoir encore . . . et je cherchais déjà quel signe je pourrais laisser après moi qui l'instruirait de mon passage, après que je serais reparti. . . Ainsi songeant, je marchais à pas lents et, depuis que j'avais résolu de ne pas la voir, la tristesse un peu âpre qui m'étreignait le cœur cédait à une mélancolie presque douce. J'avais atteint déjà l'avenue, et, par crainte d'être surpris, je marchais sur un des bas-côtés,* longeant le talus qui limitait la cour de la ferme. Je connaissais un point du talus d'où le regard pouvait plonger dans le jardin ;* là je montai ; un jardinier que je ne reconnus pas ratissait une allée et bientôt s'écarta de ma vue. Une barrière neuve fermait la cour. Le chien en m'entendant passer aboya. Plus loin, où l'avenue finissait, je tournai à droite, retrouvant le mur du jardin, et j'allais gagner cette partie de la hêtraie parallèle à l'avenue quittée lorsque, passant devant la petite porte du potager, l'idée brusque d'entrer par là dans le jardin me saisit.

La porte était close. Le verrou intérieur n'opposait toutefois qu'une résistance assez faible et que d'un coup d'épaule j'allais briser. . . A cet instant j'entendis un bruit de pas ; je me dissimulai dans le retrait du mur.

Je ne pus voir qui sortait du jardin ; mais j'entendis, je sentis que c'était Alissa. Elle fit trois pas en avant, appela faiblement :

— Est-ce toi, Jérôme ? . . .

Mon cœur, qui battait violemment, s'arrêta, et, comme de ma gorge serrée ne pouvait sortir une parole, elle répéta plus fort :

— Jérôme ! Est-ce toi ?

A l'entendre ainsi m'appeler, l'émotion qui m'étreignit fut si vive qu'elle me fit tomber à genoux. Comme je ne répondais toujours pas, Alissa fit quelques pas en avant, tourna le mur, et je la sentis soudain contre moi — contre moi qui cachais de mon bras mon visage, comme par peur de la voir aussitôt. Elle resta quelques instants penchée vers moi, tandis que je couvrais de baisers ses mains frêles.

— Pourquoi te cachais-tu ? me dit-elle, aussi simplement que si ces trois ans de séparation n'eussent duré que quelques jours.

— Comment as-tu compris que c'était moi ?

— Je t'attendais.

— Tu m'attendais ? dis-je, si surpris que je ne pouvais que répéter interrogativement ses paroles. . . Et comme je restais agenouillé :

— Allons jusqu'au banc, reprit-elle. — Oui, je savais que je devais encore une fois te revoir. Depuis trois jours, je reviens ici chaque soir et je t'appelle comme j'ai fait ce soir. . . Pourquoi ne répondais-tu pas ?

— Si tu n'étais pas venue me surprendre, je repartais sans t'avoir vue, dis-je, me raidissant contre l'émotion qui d'abord m'avait trouvé défaillant. — Simplement, passant au Havre j'allais me promener dans l'avenue, tourner à l'entour du jardin, me reposer quelques instants sur ce banc de la marnière où je pensais que tu venais encore t'asseoir, puis. . .

— Vois ce que depuis trois soirs j'y viens lire, dit-elle en m'interrompant, et elle me tendit un paquet de lettres ; je reconnus celles que je lui écrivais d'Italie. A ce moment je levai les yeux vers elle. Elle était extraordinairement changée ; sa maigreur, sa pâleur me serrèrent le cœur affreusement. S'appuyant et pesant à mon bras, elle se pressait contre moi comme si elle eût eu peur ou froid. Elle était encore en grand deuil, et sans doute la dentelle noire qu'elle avait mise en guise de coiffure et qui lui encadrait le visage ajoutait à sa pâleur. Elle souriait, mais semblait défaillir. Je m'inquiétai de savoir si elle était seule en ce moment à Fongueusemare. Non ; Robert y vivait avec elle ; Juliette, Édouard et leurs trois enfants étaient venus passer près d'eux le mois d'août. . . Nous étions parvenus au banc ; nous nous assîmes, et la conversation quelques instants encore traîna le long d'informations banales. Elle s'enquit de mon travail. Je répondis de mauvaise grâce. J'aurais voulu qu'elle sentît que mon travail ne m'intéressait plus. J'aurais voulu la décevoir, comme elle aussi m'avait déçu. Je ne sais si j'y parvins, mais elle n'en laissa rien paraître. Pour moi, plein à la fois de ressentiment et d'amour, je m'efforçais de lui parler de la manière la plus sèche et m'en voulais de l'émotion qui parfois faisait trembler ma voix.

Le soleil déclinant, que cachait depuis quelques instants un nuage, reparut au ras de l'horizon, presque en face de nous, envahissant d'un luxe frémissant les champs vides et comblant d'une profusion subite l'étroit vallon qui s'ouvrait à nos pieds ; puis, disparut. Je demeurais, ébloui, sans rien dire ; je sentais m'envelopper encore, me pénétrer cette sorte d'extase dorée* où mon ressentiment s'évaporait et je n'entendais plus en moi que l'amour. Alissa, qui restait penchée, appuyée contre moi, se redressa ; elle sortit de son corsage un menu paquet enveloppé de papier fin,* fit mine de me le tendre, s'arrêta semblant indécise, et comme je la regardais, surpris :

— Écoute, Jérôme, c'est ma croix d'améthystes que j'ai là ; depuis trois soirs je l'apporte parce que je voulais depuis longtemps te la donner.

— Que veux-tu que j'en fasse ? fis-je assez brusquement.

— Que tu la gardes en souvenir de moi, pour ta fille.

— Quelle fille ? m'écriai-je en regardant Alissa sans la comprendre.

— Écoute-moi bien calmement, je t'en prie ; non, ne me regarde pas ainsi ; ne me regarde pas ; déjà j'ai beaucoup de mal à te parler ; mais ceci, je veux absolument* te le dire Écoute, Jérôme, un jour, tu te marieras ? . . . Non, ne me réponds pas ; ne m'interromps pas, je t'en supplie. Je voudrais tout simplement que tu te souviennes que je t'aurai beaucoup aimé et . . . depuis longtemps déjà . . . depuis trois ans . . . j'ai pensé que cette petite croix que tu aimais, une fille de toi la porterait un jour en souvenir de moi, oh ! sans savoir de qui . . et peut-être pourrais-tu aussi lui donner . . . mon nom. . .

Elle s'arrêta, la voix étranglée ; je m'écriai presque hostilement :

— Pourquoi ne pas la lui donner toi-même ?

Elle essaya de parler encore. Ses lèvres tremblaient comme celles d'un enfant qui sanglote ; elle ne pleurait pas toutefois l'extraordinaire éclat de son regard inondait son visage d'une surhumaine, d'une angélique beauté.

— Alissa ! qui donc épouserais-je ! Tu sais pourtant que je ne puis aimer que toi . . . et tout à coup, la serrant éperdument presque brutalement dans mes bras, j'écrasai de baisers ses lèvres. Un instant comme abandonnée je la tins à demi renversée contre moi ; je vis son regard se voiler ; puis ses paupières se fermèrent, et d'une voix dont rien n'égalera pour moi la justesse et la mélodie :

— Aie pitié de nous, mon ami ! Ah ! n'abîme pas notre amour.

Peut-être dit-elle encore : N'agis pas lâchement ! ou peut-être me le dis-je moi-même, je ne sais plus, mais soudain, me jetant à genoux devant elle et l'enveloppant pieusement de mes bras :

— Si tu m'aimais ainsi, pourquoi m'as-tu toujours repoussé ? Vois ! j'attendais d'abord le mariage de Juliette ; j'ai compris que tu attendisses aussi son bonheur ; elle est heureuse ; c'est toi-même qui me l'as dit. J'ai cru longtemps que tu voulais continuer à vivre près de ton père ; mais à présent nous voici tous deux seuls.

— Oh ! ne regrettons pas le passé, murmura-t-elle. A présent j'ai tourné la page.

— Il est temps encore, Alissa.

— Non, mon ami, il n'est plus temps. Il n'a plus été temps du jour où, par amour, nous avons entrevu l'un pour l'autre mieux que l'amour. Grâce à vous, mon ami, mon rêve était monté si haut que tout contentement humain l'eût fait déchoir. J'ai souvent réfléchi à ce qu'eût été notre vie l'un avec l'autre ; dès qu'il n'eût plus été parfait, je n'aurais plus pu supporter . . . notre amour.

— Avais-tu réfléchi à ce que serait notre vie l'un sans l'autre ?

— Non ! jamais.

— A présent, tu le vois ! Depuis trois ans, sans toi, j'erre péniblement. . .

Le soir tombait.

— J'ai froid, dit-elle en se levant et s'enveloppant de son châle trop étroitement pour que je pusse reprendre son bras. Tu te souviens de ce verset* de l'Écriture, qui nous inquiétait et que nous craignions de ne pas bien comprendre : « Ils n'ont pas obtenu ce qui leur avait été promis, Dieu nous ayant réservés pour quelque chose de meilleur. . . »*

— Crois-tu toujours à ces paroles ?

— Il le faut bien.

Nous marchâmes quelques instants l'un près de l'autre, sans plus rien dire. Elle reprit :

— Imagines-tu cela, Jérôme : le meilleur ! Et brusquement les larmes jaillirent de ses yeux, tandis qu'elle répétait encore : le meilleur !

Nous étions de nouveau parvenus à la petite porte du potager par où, tout à l'heure, je l'avais vue sortir. Elle se retourna vers moi :

— Adieu ! fit-elle. Non, ne viens pas plus loin. Adieu, mon ami bien-aimé. C'est maintenant que va commencer . . . le meilleur.

Un instant elle me regarda, tout à la fois me retenant et m'écartant d'elle, les bras tendus et les mains sur mes épaules, les yeux emplis d'un indicible amour. . .

Dès que la porte fut refermée, dès que je l'eus entendue tirer le verrou derrière elle, je tombai contre cette porte, en proie au plus excessif désespoir et restai longtemps pleurant et sanglotant dans la nuit.

Mais la retenir, mais forcer la porte, mais pénétrer n'importe comment dans la maison, qui pourtant ne m'eût pas été fermée, non, encore aujourd'hui que je reviens en arrière* pour revivre tout ce passé . . . non, cela ne m'était pas possible, et ne m'a point compris jusqu'alors* celui qui ne me comprend pas à présent.

Une intolérable inquiétude me fit écrire à Juliette quelques jours plus tard. Je lui parlai de ma visite à Fongueusemare et lui dis combien m'alarmaient la pâleur et la maigreur d'Alissa ; je la suppliais d'y prendre garde et de me donner les nouvelles que je ne pouvais plus attendre d'Alissa elle-même.

Moins d'un mois après, je reçus la lettre que voici :

Mon cher Jérôme,

Je viens t'annoncer une bien triste nouvelle: notre pauvre Alissa n'est plus. . . Hélas ! les craintes qu'exprimait ta lettre n'étaient que trop fondées. Depuis quelques mois, sans être précisément malade, elle dépérissait; pourtant, cédant à mes supplications, elle avait consenti à voir le Dr A. . ., du Havre, qui m'avait écrit qu'elle n'avait rien de grave. Mais trois jours après la visite que tu lui as faite, elle a brusquement quitté Fongueusemare. C'est par une lettre de Robert que j'ai appris son départ; elle m'écrit si rarement que, sans lui, j'aurais tout ignoré de sa fuite, car je ne me serais pas vite alarmée de son silence. J'ai fait de vifs reproches à Robert de l'avoir ainsi laissée partir, de ne pas l'avoir accompagnée à Paris. Croirais-tu que, depuis ce moment, nous sommes restés dans l'ignorance de son adresse. Tu juges de mon angoisse; impossible de la voir, impossible même de lui écrire. Robert a bien été à Paris quelques jours plus tard, mais n'a rien pu découvrir. Il est si indolent que nous avons douté de son zèle. Il fallait aviser la police; nous ne pouvions rester dans cette cruelle incertitude. Édouard est parti, a si bien fait qu'enfin il a découvert la petite maison de santé où Alissa s'était réfugiée. Hélas ! trop tard. Je recevais en même temps une lettre du directeur de la maison m'annonçant sa mort, et une dépêche d'Édouard qui n'a même pas pu la revoir. Le dernier jour elle avait écrit notre adresse sur une enveloppe afin que nous fussions prévenus, et, dans une autre enveloppe, mis le double d'une lettre qu'elle avait envoyée à notre notaire du Havre, et qui contenait ses dernières volontés. Je crois qu'un passage de cette lettre te concerne; je te le ferai connaître* prochainement. Édouard et Robert ont pu assister à l'inhumation qui a eu lieu avant-hier. Ils n'étaient pas seuls à suivre la bière. Quelques malades de la maison de santé avaient tenu à assister à la cérémonie et à accompagner le corps au cimetière. Pour moi, qui attends mon cinquième enfant d'un jour à l'autre, je n'ai malheureusement pas pu me déplacer.

Mon cher Jérôme, je sais le profond chagrin que te causera ce deuil, et je t'écris le cœur navré. J'ai dû m'aliter depuis deux jours et j'écris difficilement, mais ne voulais laisser personne d'autre, pas même Édouard ou Robert, te parler de celle que nous avons été sans doute tous deux seuls à connaître. Maintenant que me voici une presque vieille mère de famille et que beaucoup de cendres ont recouvert le brûlant passé, je puis souhaiter te revoir. Si quelque jour tes occupations ou ton agrément t'appelaient vers Nîmes, viens jusqu'à Aigues-Vives. Edouard serait heureux de te connaître et tous deux nous pourrions parler d'Alissa. Adieu, mon cher Jérôme. Je t'embrasse bien tristement.

Quelques jours après, j'appris qu'Alissa laissait Fongueusemare à son frère, mais demandait que tous les objets de sa chambre et quelques meubles qu'elle indiquait fussent envoyés à Juliette. Je devais recevoir prochainement des papiers qu'elle avait mis sous pli cacheté à mon nom. J'appris encore qu'elle avait demandé qu'on lui mît au cou la petite croix d'améthystes que j'avais refusée à ma dernière visite, et je sus par Édouard que cela avait été fait.

Le pli cacheté que le notaire me renvoya contenait le journal d'Alissa. J'en transcris ici nombre de pages. — Je les transcris sans commentaires. Vous imaginerez suffisamment les réflexions que je fis en les lisant et le bouleversement de mon cœur que je ne pourrais que trop imparfaitement indiquer.

JOURNAL D'ALISSA

Aigues-Vives

Avant-hier, départ du Havre ; hier arrivée à Nîmes ; mon premier voyage ! N'ayant aucun souci du ménage ni de la cuisine, dans le léger désœuvrement qui s'ensuit, ce 23 mai 188 . . . jour anniversaire de mes vingt-cinq ans, je commence un journal — sans grand amusement,* un peu pour me tenir compagnie ; car, pour la première fois de ma vie peut-être, je me sens seule — sur une terre différente, étrangère presque, et avec qui je n'ai pas encore lié connaissance. Ce qu'elle a à me dire est sans doute pareil à ce que me racontait la Normandie, et que j'écoute infatigablement à Fongueusemare — car Dieu n'est différent de soi nulle part — mais elle parle, cette terre méridionale, une langue que je n'ai pas encore apprise et que j'écoute avec étonnement.

24 *mai.*

Juliette sommeille sur une chaise-longue près de moi — dans la galerie ouverte qui fait le charme de cette maison à l'italienne, de plain-pied avec la cour sablée qui continue le jardin. . . Juliette, sans quitter sa chaise-longue, peut voir la pelouse se vallonner* jusqu'à la pièce d'eau où s'ébat un peuple* de canards bariolés et où naviguent deux cygnes. Un ruisseau que ne tarit, dit-on, aucun été l'alimente, puis fuit à travers le jardin qui devient bosquet toujours plus sauvage, resserré de plus en plus entre la garrigue* sèche et les vignobles, et bientôt complètement étranglé.

. . . Édouard Teissières a fait visiter hier, à mon père, le jardin, la ferme, les celliers, les vignobles, pendant que je restais auprès de Juliette, — de sorte que ce matin, de très bonne heure, j'ai pu faire, seule, ma première promenade de découverte dans le parc. Beaucoup de plantes et d'arbres inconnus dont pourtant j'aurais voulu savoir le nom. De chacun d'eux je cueille une ramille pour me les faire nommer, au déjeuner. Je reconnais en ceux-ci les chênes-verts qu'admirait Jérôme à la villa Borghèse ou Doria-Pamphili . . .* si lointains parents de nos arbres du nord — d'expression si différente ;* ils abritent, presque à l'extrémité du parc, une clairière étroite, mystérieuse, et se penchent au-dessus d'un gazon doux aux pieds, invitant le chœur des nymphes. Je m'étonne, m'effarouche presque de ce qu'ici mon sentiment de la nature, si profondément chrétien à Fongueusemare, malgré moi devienne un peu mythologique.* Pourtant elle était encore religieuse la sorte de crainte qui de plus en plus m'oppressait. Je murmurais ces mots : *hic nemus*.* L'air était cristallin ; il faisait un silence étrange. Je songeais à Orphée,* à Armide,* lorsque tout à coup un chant d'oiseau, unique, s'est élevé, si près de moi, si pathétique, si pur qu'il me sembla soudain que toute la nature l'attendait. Mon cœur battait très fort ; je suis restée un instant appuyée contre un arbre, puis suis rentrée avant que personne encore ne fût levé.

26 *mai.*

Toujours sans lettre de Jérôme. Quand il m'aurait écrit au Havre, sa lettre m'aurait été renvoyée. . . Je ne puis confier qu'à ce cahier mon inquiétude ; ni la course d'hier aux Baux,* ni la prière, depuis trois jours, n'ont pu m'en distraire un instant. Aujourd'hui, je ne peux écrire ici rien d'autre : l'étrange mélancolie dont je souffre depuis mon arrivée à Aigues-Vives n'a peut-être pas d'autre cause ; — pourtant je la sens à une telle profondeur en moi-même qu'il me semble maintenant qu'elle était là depuis longtemps et que la joie dont je me disais fière* ne faisait que la recouvrir.

27 mai.

Pourquoi me mentirais-je à moi-même ? C'est par un raisonnement que je me réjouis du bonheur de Juliette. Ce bonheur que j'ai tant souhaité, jusqu'à offrir de lui sacrifier mon bonheur, je souffre de le voir obtenu sans peine, et différent de ce qu'elle et moi nous imaginions qu'il dût être. Que cela est compliqué ! Si . . . je discerne bien qu'un affreux retour d'égoïsme s'offense de ce qu'elle ait trouvé son bonheur ailleurs que dans mon sacrifice — qu'elle n'ait pas eu besoin de mon sacrifice pour être heureuse.

Et je me demande à présent, à sentir quelle inquiétude me cause le silence de Jérôme : ce sacrifice était-il réellement consommé dans mon cœur ? Je suis comme humiliée que Dieu ne l'exige plus de moi. N'en étais-je donc point capable ?

28 mai.

Combien cette analyse de ma tristesse est dangereuse ! Déjà je m'attache à ce cahier. La coquetterie,* que je croyais vaincue, reprendrait-elle ici ses droits ? Non ; que ce journal ne soit pas le complaisant miroir devant lequel mon âme s'apprête ! Ce n'est pas par désœuvrement, comme je le croyais d'abord, que j'écris, mais par tristesse. La tristesse est un *état de péché*, que je ne connaissais plus, que je hais, dont je veux *décompliquer** mon âme. Ce cahier doit m'aider à réobtenir en moi le bonheur.

La tristesse est une complication. Jamais je ne cherchais à analyser mon bonheur.

A Fongueusemare j'étais bien seule aussi, plus seule encore . . . pourquoi donc ne le sentais-je pas ? Et quand Jérôme m'écrivait d'Italie, j'acceptais qu'il vît sans moi, qu'il vécût sans moi, je le suivais par la pensée et faisais de sa joie la mienne. Je l'appelle à présent malgré moi ; sans lui tout ce que je vois de neuf m'importune. . .

10 *juin.*

Longue interruption de ce journal à peine commencé ; naissance de la petite Lise ; longues veillées auprès de Juliette ; tout ce que je peux écrire à Jérôme, je n'ai nul plaisir à l'écrire ici. Je voudrais me garder de cet insupportable défaut commun à tant de femmes : le trop écrire. Considérer ce cahier comme un instrument de perfectionnement.

Suivaient plusieurs pages de notes prises au cours de lectures, passages copiés, etc. . . Puis datée de Fongueusemare de nouveau :

16 *juillet.*

Juliette est heureuse ; elle le dit, le paraît ; je n'ai pas le droit, pas de raison d'en douter. . . D'où me vient à présent, auprès d'elle, ce sentiment d'insatisfaction, de malaise ? — Peut-être à sentir cette félicité si pratique, si facilement obtenue, si parfaitement « sur mesure » qu'il semble qu'elle enserre l'âme et l'étouffe. . .

Et je me demande à présent si c'est bien le bonheur que je souhaite ou plutôt l'acheminement* vers le bonheur. O Seigneur ! Gardez-moi d'un bonheur que je pourrais trop vite atteindre ! Enseignez-moi à différer, à reculer jusqu'à Vous mon bonheur.

De nombreuses feuilles ensuite avaient été arrachées ; sans doute relataient-elles notre pénible revoir du Havre. Le journal ne reprenait que l'an suivant ; feuillets non datés, mais certainement écrits au moment de mon séjour à Fongueusemare.

Parfois en l'écoutant parler je crois me regarder penser. Il m'explique et me découvre à moi-même. Existerais-je sans lui ? Je ne suis qu'avec lui. . .

Parfois j'hésite si ce que j'éprouve pour lui c'est bien ce que l'on appelle de l'amour—tant la peinture que d'ordinaire on ait de l'amour diffère de celle que je voudrais en faire. Je voudrais que rien n'en fût dit et l'aimer sans savoir que je l'aime. Surtout je voudrais l'aimer sans qu'il le sût.

De tout ce qu'il me faut vivre sans lui, rien ne m'est plus d'aucune joie. Toute ma vertu n'est que pour lui plaire et pourtant, près de lui, je sens ma vertu défaillante.

J'aimais l'étude du piano parce qu'il me semblait que je pouvais y progresser un peu chaque jour. C'est peut-être aussi le secret du plaisir que je prends à lire un livre en langue étrangère ; non certes que je préfère quelque langue que ce soit à la nôtre ou que ceux de nos écrivains que j'admire me paraissent le céder en rien* aux étrangers — mais la légère difficulté dans la poursuite du sens et de l'émotion, l'inconsciente fierté peut-être de la vaincre et de la vaincre toujours mieux, ajoute au plaisir de l'esprit je ne sais quel contentement de l'âme, dont il me semble que je ne puis me passer.

Si bienheureux qu'il soit, je ne puis souhaiter un état sans progrès. Je me figure la joie céleste non comme une confusion* en Dieu, mais comme un rapprochement infini, continu . . . et si je ne craignais de jouer sur un mot, je dirais que je ferais fi d'une joie qui ne serait pas *progressive*.*

Ce matin nous étions assis tous deux sur le banc de l'avenue ; nous ne disions rien et n'éprouvions le besoin de rien dire. . . Tout à coup, il m'a demandé si je croyais à la vie future.

— Mais, Jérôme, me suis-je écriée aussitôt, c'est mieux pour moi qu'une espérance : c'est une certitude. . .

Et brusquement il m'a semblé que toute ma foi s'était comme vidée dans ce cri.

— Je voudrais savoir ? a-t-il ajouté . . . il s'est arrêté quelques instants, puis : Agirais-tu différemment, sans ta foi ?

— Comment puis-je le savoir, ai-je répondu ; et j'ajoutai : Mais toi-même, et malgré toi, mon ami, tu ne peux plus agir autrement que tu ne ferais, animé par la foi la plus vive. Et je ne t'aimerais pas, différent.

Non, Jérôme, non, ce n'est pas la récompense future vers quoi s'efforce notre vertu ; ce n'est pas la récompense que cherche notre amour. L'idée d'une rémunération de sa peine est blessante à l'âme bien née. La vertu n'est pas non plus pour elle une parure ; non, c'est la forme de sa beauté.

Papa va de nouveau moins bien ; rien de grave, j'espère, mais il a dû se remettre au lait depuis trois jours.

Hier au soir, Jérôme venait de monter dans sa chambre ; papa, qui prolongeait avec moi la veillée, m'a laissée seule quelques instants. J'étais assise sur le canapé, ou plutôt — ce qui ne m'arrive presque jamais — je m'étais étendue, je ne sais pourquoi. L'abat-jour abritait de la lumière mes yeux et le haut de mon corps ; je regardais machinalement la pointe de mes pieds, qui dépassait un peu ma robe et qu'un reflet de lampe accrochait. Quand papa est rentré, il est resté quelques instants debout devant la porte à me dévisager d'une manière étrange, à la fois souriante et triste. Vaguement confuse, je me suis levée ; alors il m'a fait signe :

— Viens t'asseoir près de moi, m'a-t-il dit ; et bien qu'il fût déjà tard, il a commencé à me parler de ma mère, ce qu'il n'avait jamais fait depuis leur séparation. Il m'a raconté comment il l'avait épousée, combien il l'aimait et ce que d'abord elle avait été pour lui.

— Papa, lui ai-je dit enfin, je te supplie de me dire pourquoi tu me racontes cela ce soir — ce qui te fait me raconter cela précisément ce soir. . .

— Parce que, tout à l'heure, quand je suis rentré dans le salon, et que je t'ai vue, comme tu étais, étendue sur le canapé, un instant j'ai cru revoir ta mère.

Si j'insistais ainsi, c'est que ce même soir... Jérôme lisait par-dessus mon épaule, debout, appuyé contre mon fauteuil, penché sur moi. Je ne pouvais le voir, mais sentais son haleine et comme la chaleur et le frémissement de son corps. Je feignais de continuer ma lecture, mais je ne comprenais plus ; je ne distinguais même plus les lignes ; un trouble si étrange s'était emparé de moi que j'ai dû me lever de ma chaise, en hâte, tandis que je le pouvais encore. J'ai pu quitter quelques instants la pièce sans qu'heureusement il se soit rendu compte de rien... Mais quand, un peu plus tard, seule dans le salon, je m'étais étendue sur ce canapé où papa trouvait que je ressemblais à ma mère, précisément alors c'est à elle que je pensais.

J'ai très mal dormi cette nuit, inquiète, oppressée, misérable, obsédée par le souvenir du passé qui remontait en moi comme un remords.

Seigneur, enseignez-moi l'horreur de tout ce qui a quelque apparence de mal.

Pauvre Jérôme ! Si pourtant il savait que parfois il n'aurait qu'un geste à faire, et que ce geste parfois je l'attends...

Lorsque j'étais enfant, c'est à cause de lui déjà que je souhaitais d'être belle. Il me semble à présent que je n'ai jamais « tendu à* la perfection » que pour lui. Et que cette perfection ne puisse être atteinte que sans lui, c'est, ô mon Dieu ! celui d'entre tous vos enseignements qui déconcerte le plus mon âme.

Combien heureuse doit être l'âme pour qui vertu se confondrait avec amour ! Parfois je doute s'il est d'autre vertu que d'aimer, d'aimer le plus possible et toujours plus... Mais certains jours, hélas ! la vertu ne m'apparaît plus que comme une résistance à l'amour. Eh quoi ! oserais-je appeler vertu le plus naturel penchant de mon cœur ! O sophisme attrayant ! invitation spécieuse ! mirage malicieux du bonheur !

Je lis ce matin dans La Bruyère :*

« Il y a quelquefois, dans le cours de la vie, de si chers plaisirs et de si tendres engagements que l'on nous défend, qu'il est naturel de désirer du moins qu'ils fussent permis : de si grands charmes ne peuvent être surpassés que par celui de savoir y renoncer par vertu.»

Pourquoi donc inventai-je ici la défense ? Serait-ce que m'attire en secret un charme plus puissant encore, plus suave que celui de l'amour ? Oh ! pouvoir entraîner à la fois nos deux âmes, à force d'amour, au delà de l'amour ! . . .

Hélas ! Je ne le comprends que trop bien à présent : entre Dieu et lui, il n'est pas d'autre obstacle que moi-même. Si, peut-être, comme il me le dit, son amour pour moi l'inclina vers Dieu tout d'abord, à présent cet amour l'empêche ; il s'attarde à moi, me préfère, et je deviens l'idole qui le retient de s'avancer plus loin dans la vertu. Il faut que l'un de nous deux y parvienne ; et désespérant de surmonter dans mon lâche cœur mon amour, permettez-moi, mon Dieu, accordez-moi la force de lui apprendre à ne m'aimer plus ; de manière qu'au prix des miens je vous apporte ses mérites infiniment préférables . . . et si mon âme aujourd'hui sanglote de le perdre, n'est-ce pas pour que, plus tard, en Vous je le retrouve. . .

Dites, ô mon Dieu ! quelle âme vous mérita jamais davantage ? N'est-il pas né pour mieux que pour m'aimer ? Et l'aimerais-je autant s'il devait s'arrêter à moi-même ? Combien se rétrécit dans le bonheur tout ce qui pourrait être héroïque ! . . .

Dimanche.

« Dieu nous ayant gardés pour quelque chose de meilleur.»*

Lundi 3 mai.

Que le bonheur soit là, tout près, qu'il se propose* . . . n'avoir qu'à allonger la main pour s'en saisir. . .

Ce matin, causant avec lui, j'ai consommé le sacrifice.

Lundi soir.

Il part demain. . .

Cher Jérôme, je t'aime toujours de tendresse infinie ; mais jamais plus je ne pourrai te le dire. La contrainte que j'impose à mes yeux, à mes lèvres, à mon âme, est si dure que te quitter m'est délivrance et amère satisfaction.

Je m'efforce d'agir avec raison, mais au moment de l'action, les raisons qui me faisaient agir m'échappent, ou me paraissent folles ; je n'y crois plus. . .

Les raisons qui me font le fuir ? Je n'y crois plus. . . Et je le fuis pourtant, avec tristesse, et sans comprendre pourquoi je le fuis.

Seigneur ! nous avancer vers vous, Jérôme et moi, l'un avec l'autre, l'un par l'autre ; marcher tout le long de la vie comme deux pèlerins dont l'un parfois dise à l'autre : « Appuie-toi sur moi, frère, si tu es las », et dont l'autre réponde : « Il me suffit de te sentir près de moi. . . » Mais non ! la route que vous nous enseignez, Seigneur, est une route étroite — étroite à n'y pouvoir marcher deux de front.

4 juillet.

Voilà plus de six semaines que je n'ai pas rouvert ce cahier. Le mois dernier, en en relisant quelques pages, j'y avais surpris un absurde, un coupable souci de bien écrire . . . que je *lui* dois . . .

Comme si, dans ce cahier que je n'ai commencé que pour m'aider à me passer de *lui*, je continuais à *lui* écrire.

J'ai déchiré toutes les pages qui m'ont paru *bien écrites.*

(Je sais ce que j'entends par là.) J'aurais dû déchirer toutes celles où il est question de lui. J'aurais dû tout déchirer. . . Je n'ai pas pu.

Et déjà d'avoir arraché ces quelques pages, j'ai ressenti un peu d'orgueil . . . un orgueil dont je rirais, si mon cœur n'était si malade.

Vraiment il semblait que j'eusse là* du mérite et que ce que je supprimais fût grand'chose !

6 *juillet.*

J'ai dû bannir de ma bibliothèque . . .

De livre en livre je le fuis et le retrouve. Même la page que sans lui je découvre, j'entends sa voix encore me la lire. Je n'ai goût qu'à ce qui l'intéresse, et ma pensée a pris la forme de la sienne au point que je ne sais les distinguer pas plus qu'au temps où je pouvais me plaire à les confondre.

Parfois je m'efforce d'écrire mal, pour échapper au rythme de ses phrases ; mais lutter contre lui c'est encore m'occuper de lui. Je prends la résolution de ne plus lire pour un temps que la Bible (l'Imitation* aussi, peut-être) et de ne plus écrire dans ce carnet que, chaque jour, le verset* marquant de ma lecture.

Suivait une sorte de « pain quotidien », où la date de chaque jour, à partir du premier juillet, était accompagnée d'un verset. Je ne transcris ici que ceux qu'accompagnait aussi quelque commentaire.

20 *juillet.*

« Vends tout ce que tu as et le donne aux pauvres. »* Je comprends qu'il faudrait donner aux pauvres ce cœur dont je ne dispose que pour Jérôme. Et du même coup n'est-ce pas lui enseigner à faire de même. . . Seigneur, donnez-moi ce courage.

24 *juillet.*

J'ai cessé de lire *l'Internelle Consolacion.* Cette ancienne langue m'amusait fort, mais me distrayait et la joie quasi payenne* que j'y goûte n'a rien à voir avec l'édification que je me proposais d'y chercher.

Repris l'Imitation ; et non point même dans le texte latin, que je suis trop vaine de comprendre.* J'aime que ne soit pas même signée la traduction où je la lis — protestante il est vrai, mais « appropriée* à toutes les communions chrétiennes », dit le titre.

« Oh ! si tu savais quelle paix tu acquerrais, et quelle joie tu donnerais aux autres en t'avançant dans la vertu, je m'assure que tu y travaillerais avec plus de soin. »*

10 *août.*

Quand je crierais vers vous, mon Dieu, avec l'élan de la foi d'un enfant et la voix surhumaine* des anges . . .

Tout cela, je le sais, me vient non de Jérôme, mais de vous.

Mais pourquoi, entre vous et moi, posez-vous partout son image ?

14 *août.*

Plus que deux mois* pour parachever cet ouvrage. . . O Seigneur, aidez-moi !

20 *août.*

Je le sens bien, je le sens *à ma tristesse,** que le sacrifice n'est pas consommé dans mon cœur. Mon Dieu, donnez-moi de ne devoir qu'à vous cette joie que lui seul me faisait connaître.*

28 *août.*

A quelle médiocre, triste vertu je parviens ! Exigé-je donc trop de moi ? — N'en plus souffrir.

Par quelle lâcheté toujours implorer de Dieu sa force ! A présent toute ma prière est plaintive.

29 *août.*

« Regardez les lys des champs. . .»*

Cette parole si simple m'a plongée ce matin dans une tristesse dont rien ne pouvait me distraire. Je suis sortie dans la campagne et ces mots que malgré moi je répétais sans cesse emplissaient de larmes mon cœur et mes yeux. Je contemplais la vaste plaine vide où le laboureur penché sur la charrue peinait. . . « Les lys des champs. . .» Mais, Seigneur, où sont-ils ?. . .

16 *septembre*, 10 *heures du soir.*

Je l'ai revu. Il est là, sous ce toit. Je vois sur le gazon la clarté qu'y porte sa fenêtre. Pendant que j'écris ces lignes, il veille ; et peut-être qu'il pense à moi. Il n'a pas changé ; il le dit ; je le sens. Saurai-je me montrer à lui telle que j'ai résolu d'être, afin que son amour me désavoue. . .

24 *septembre.*

Oh ! conversation atroce où j'ai su feindre l'indifférence, la froideur, lorsque mon cœur au dedans de moi se pâmait. . . Jusqu'à présent, je m'étais contentée de le fuir. Ce matin j'ai pu croire que Dieu me donnerait la force de vaincre,* et que me dérober sans cesse à la lutte n'allait pas sans lâcheté. Ai-je triomphé ? Jérôme m'aime-t-il un peu moins ?. . . Hélas ! c'est ce que j'espère, et que je crains tout à la fois . . . Je ne l'ai jamais plus aimé.

Et s'il vous faut, Seigneur, pour le sauver de moi, que je me perde, faites ! . . .

« Entrez dans mon cœur et dans mon âme pour y porter mes souffrances et pour continuer d'endurer en moi ce qui vous reste à souffrir de votre Passion.»*

Nous avons parlé de Pascal. . . Qu'ai-je pu lui dire ? Quels honteux, absurdes propos ! si je souffrais en les disant déjà, ce soir je m'en repens comme d'un blasphème. J'ai repris le livre pesant des Pensées, qui de lui-même s'est ouvert à ce passage des lettres à Mlle de Roannez :*

« On ne sent pas son lien quand on suit volontairement celui qui entraîne ; mais quand on commence à résister et à marcher en s'éloignant on souffre bien.»

Ces paroles me touchaient si directement que je n'ai pas eu la force de continuer ma lecture ; mais rouvrant le livre à un autre endroit, ce fut pour trouver un passage admirable que je ne connaissais pas et que je viens de copier.

Ici s'achevait le premier cahier de ce journal. Sans doute un cahier suivant fut détruit ; car, dans les papiers laissés par Alissa, le journal ne reprenait que trois ans plus tard, à Fongueusemare encore — en septembre — c'est-à-dire peu de temps avant notre dernier revoir.

Les phrases qui suivent ouvrent ce dernier cahier.

17 *septembre.*

Mon Dieu, vous savez bien que j'ai besoin de lui pour vous aimer.

20 septembre.

Mon Dieu, donnez-le-moi, afin que je vous donne mon cœur.

Mon Dieu, faites-le-moi revoir seulement.

Mon Dieu, je m'engage à vous donner mon cœur ; accordez-moi ce que mon amour vous demande. Je ne donnerai plus qu'à Vous ce qui me restera de vie. . .

Mon Dieu, pardonnez-moi cette méprisable prière, mais je ne puis écarter son nom de mes lèvres, ni oublier la peine de mon cœur.

Mon Dieu, je crie à Vous ; ne m'abandonnez pas dans ma détresse.

21 septembre.

« Tout ce que vous demanderez à mon père en mon nom. . .»*

Seigneur ! en votre nom je n'ose. . .

Mais si je ne formule plus ma prière, en connaîtrez-vous moins pour cela le délirant souhait de mon cœur ?

27 septembre.

Depuis ce matin un grand calme. Passé presque toute la nuit en méditation, en prière. Soudain il m'a semblé que m'entourait, que descendait en moi une sorte de paix lumineuse, pareille à l'imagination qu'enfant je me faisais du Saint-Esprit. Je me suis aussitôt couchée, craignant de ne devoir ma joie qu'à une exaltation nerveuse ; je me suis endormie assez vite, sans que cette félicité m'eût quittée. Elle est là ce matin tout entière. J'ai maintenant la certitude qu'il viendra.

30 septembre.

Jérôme ! mon ami, toi que j'appelle encore : mon frère, mais que j'aime infiniment plus qu'un frère. . . Combien de fois ai-je crié ton nom dans la hêtraie ! . . . Sortant chaque soir, vers la tombée du jour, par la petite porte du potager, je descends l'avenue déjà sombre... Tu me répondrais soudain, tu m'apparaîtrais, là, derrière le talus pierreux qu'avait hâte de contourner mon regard, ou bien je te verrais de loin, assis sur le banc, à m'attendre, mon cœur n'aurait pas un sursaut... au contraire, je m'étonne de ne pas te voir.

1er octobre.

Rien encore. Le soleil s'est couché dans un ciel incomparablement pur. J'attends. Je sais que bientôt, sur ce même banc, je serai assise avec lui... J'écoute déjà sa parole. J'aime tant à l'entendre prononcer mon nom... Il sera là ! Je mettrai ma main dans sa main. Je laisserai mon front s'appuyer contre son épaule. Je respirerai près de lui. Hier, déjà, j'avais emporté quelques-unes de ses lettres pour les relire ; mais je ne les ai pas regardées, trop occupée par sa pensée. J'avais également pris sur moi la croix d'améthystes qu'il aimait et que je portais chaque soir, un des étés passés, aussi longtemps que je ne voulais pas qu'il partît.

Je voudrais lui remettre cette croix. Il y a longtemps déjà je faisais ce rêve : lui marié ; moi, marraine de sa première fille, une petite Alissa, à qui je donnais ce bijou... Pourquoi n'ai-je jamais osé le lui dire ?

2 octobre.

Mon âme est légère et joyeuse aujourd'hui comme un oiseau qui aurait fait son nid dans le ciel. C'est aujourd'hui qu'il doit venir ; je le sens, je le sais ; je voudrais le crier à tous ; j'ai besoin de l'écrire ici. Je ne peux plus cacher ma joie. Même Robert, si distrait d'ordinaire et si indifférent à moi, l'a remarquée. Ses questions m'ont troublée et je n'ai su quoi lui répondre. Comment vais-je attendre à ce soir ?...

Je ne sais quel transparent bandeau me présente partout agrandie son image et concentre tous les rayons de l'amour sur un seul point brûlant de mon cœur.

Oh ! que l'attente me fatigue ! . . .

Seigneur ! entr'ouvrez un instant devant moi les larges vantaux* du bonheur !

3 octobre.

Tout s'est éteint. Hélas ! il s'est échappé d'entre mes bras, comme une ombre. Il était là ! Il était là ! Je le sens encore. Je l'appelle. Mes mains, mes lèvres le cherchent en vain dans la nuit. . .

Je ne puis ni prier, ni dormir. Je suis ressortie dans le jardin sombre. Dans ma chambre, dans toute la maison, j'avais peur ; ma détresse m'a ramenée jusqu'à la porte derrière laquelle je l'avais laissé ; j'ai rouvert cette porte avec une folle espérance ; s'il était revenu ! J'ai appelé. J'ai tâtonné dans les ténèbres. Je suis rentrée pour lui écrire. Je ne peux accepter mon deuil.

Que s'est-il donc passé ? Que lui ai-je dit ? Qu'ai-je fait ? Quel besoin devant lui d'exagérer toujours ma vertu ? De quel prix peut être une vertu que mon cœur tout entier renie ; je mentais en secret aux paroles* que Dieu proposait à mes lèvres. . . De tout ce qui gonflait mon cœur, rien n'est sorti. Jérôme ! Jérôme, mon ami douloureux près de qui mon cœur se déchire, et loin de qui je meurs, de tout ce que je te disais tantôt, n'écoute rien que ce qui te racontait mon amour.

Déchiré ma lettre ; puis récrit. . . Voici l'aube ; grise, mouillée de pleurs, aussi triste que ma pensée. . . J'entends les premiers bruits de la ferme et tout ce qui dormait reprend vie. . . « A présent levez-vous. Voici l'heure. . .»*

Ma lettre ne partira pas.

5 *octobre.*

Dieu jaloux, qui m'avez dépossédée, emparez-vous donc de mon cœur. Toute chaleur désormais l'abandonne et rien ne l'intéressera plus. Aidez-moi donc à triompher de ce triste restant de moi-même. Cette maison, ce jardin encouragent intolérablement mon amour. Je veux fuir en un lieu où je ne verrai plus que Vous.

Vous m'aiderez à disposer pour vos pauvres de ce que je possédais de fortune ; laissez-moi disposer en faveur de Robert, de Fongueusemare que je ne puis vendre aisément. J'ai bien écrit un testament, mais j'ignore la plupart des formalités nécessaires, et hier je n'ai pu causer suffisamment avec le notaire, craignant qu'il ne soupçonnât la décision que j'ai prise et n'avertît Juliette ou Robert . . . je compléterai cela à Paris.

10 *octobre.*

Suis arrivée ici si fatiguée que j'ai dû rester couchée les deux premiers jours. Le médecin qu'on a fait venir contre mon gré parle d'une opération qu'il juge nécessaire. A quoi bon protester ? mais je lui ai fait aisément croire que cette opération m'effrayait et que je préférais attendre d'avoir « repris quelques forces.»

J'ai pu cacher mon nom, mon adresse. J'ai déposé au bureau de la maison suffisamment d'argent pour qu'on ne fît point difficulté de me recevoir et de me garder autant de temps que Dieu va le juger encore nécessaire.

Cette chambre me plaît. La parfaite propreté suffit à l'ornement des murs. J'étais tout étonnée de me sentir presque joyeuse. C'est que je n'espère plus rien de la vie. C'est qu'il faut à présent que je me contente de Dieu, et que son amour n'est exquis que s'il occupe en nous toute la place. . .

Je n'ai pris avec moi d'autre livre que la Bible ; mais aujourd'hui, plus haut que les paroles que j'y lis résonne en moi ce sanglot éperdu de Pascal :

« Tout ce qui n'est pas Dieu ne peut pas remplir mon attente.»

O trop humaine joie que mon cœur imprudent souhaitait. . . Est-ce pour obtenir ce cri, Seigneur ! que vous m'avez désespérée ?

12 octobre.

Que votre règne vienne ! Qu'il vienne en moi ; de sorte que vous seul régniez sur moi ; et régniez sur moi tout entière. Je ne veux plus vous marchander mon cœur.

Fatiguée comme si j'étais très vieille, mon âme garde une étrange puérilité. Je suis encore la petite fille que j'étais, qui ne pouvait pas s'endormir que tout ne fût en ordre dans sa chambre et bien pliés au chevet du lit les vêtements quittés. . .

C'est ainsi que je voudrais me préparer à mourir.

13 octobre.

Relu mon journal avant de le détruire. « Il est indigne des grands cœurs de répandre le trouble qu'ils ressentent.» Elle est de Clotilde de Vaux,* je crois, cette belle parole.

A l'instant de jeter au feu ce journal, une sorte d'avertissement m'a retenue ; il m'a paru qu'il ne m'appartenait déjà plus à moi-même ; que je n'avais pas le droit de l'enlever à Jérôme ; que je ne l'avais jamais écrit que pour lui. Mes inquiétudes, mes doutes, me paraissent si dérisoires aujourd'hui que je ne puis plus y attacher d'importance ni croire que Jérôme puisse en être troublé. Mon Dieu, laissez qu'il y surprenne* parfois l'accent malhabile d'un cœur désireux jusqu'à la folie de le pousser jusqu'à ce sommet de vertu que je désespérai d'atteindre.

« Mon Dieu, conduisez-moi sur ce rocher que je ne puis atteindre.»*

15 *octobre.*

« Joie, joie, joie, pleurs de joie. . .»*

Au-dessus de la joie humaine et par-delà toute douleur, oui, je pressens cette joie radieuse. Ce rocher où je ne puis atteindre, je sais bien qu'il a nom :* bonheur. . . Je comprends que toute ma vie est vaine sinon pour aboutir au bonheur. . . Ah ! pourtant vous le promettiez, Seigneur, à l'âme renonçante et pure. « Heureux *dès à présent*, disait votre sainte parole, heureux dès à présent ceux qui meurent dans le Seigneur.»* Dois-je attendre jusqu'à la mort ? C'est ici que ma foi chancelle.* Seigneur ! Je crie à vous de toutes mes forces. Je suis dans la nuit ; j'attends l'aube. Je crie à Vous jusqu'à mourir. Venez désaltérer mon cœur. De ce bonheur j'ai soif aussitôt. . . Ou dois-je me persuader de l'avoir ?* Et comme l'impatient oiseau qui crie par devant* l'aurore, appelant plus qu'annonçant le jour, dois-je n'attendre pas le pâlissement de la nuit pour chanter ?

16 *octobre.*

Jérôme, je voudrais t'enseigner la joie parfaite.

Ce matin, une crise de vomissements m'a brisée. Je me suis sentie, sitôt après, si faible qu'un instant j'ai pu espérer de mourir. Mais non ; il s'est d'abord fait dans tout mon être un grand calme ; puis une angoisse s'est emparée de moi, un frisson de la chair et de l'âme ; c'était comme *l'éclaircissement** brusque et désenchanté de ma vie. Il me semblait que je voyais pour la première fois les murs atrocement nus de ma chambre. J'ai pris peur. A présent encore j'écris pour me rassurer, me calmer. O Seigneur ! puissé-je atteindre jusqu'au bout sans blasphème !

J'ai pu me lever encore. Je me suis mise à genoux comme un enfant. . .

Je voudrais mourir à présent, vite, avant d'avoir compris de nouveau que je suis seule.

IX

J'ai revu Juliette l'an passé. Plus de dix ans s'étaient écoulés depuis sa dernière lettre, celle qui m'annonçait la mort d'Alissa. Un voyage en Provence me fut une occasion de m'arrêter à Nîmes. Avenue de Feuchères, au centre bruyant de la ville, les Teissières habitent une maison d'assez belle apparence. Bien que j'eusse écrit pour annoncer ma venue, j'étais passablement ému en franchissant le seuil.

Une bonne me fit monter dans le salon où, quelques instants après, Juliette vint me rejoindre. Je crus voir la tante Plantier : même démarche, même carrure, même cordialité essoufflée. Elle me pressa tout aussitôt de questions dont elle n'attendait pas les réponses, sur ma carrière, mon installation* à Paris, mes occupations, mes relations ;* qu'est-ce que je venais faire dans le Midi ? pourquoi n'irais-je pas jusqu'à Aigues-Vives où Édouard serait si heureux de me voir ? . . . Puis elle me donnait des nouvelles de tous, parlait de son mari, de ses enfants, de son frère, de la dernière récolte, de la mévente. . . J'apprenais que Robert avait vendu Fongueusemare, pour venir habiter Aigues-Vives ; qu'il était maintenant l'associé d'Édouard, ce qui permettait à celui-ci de voyager et de s'occuper plus spécialement de la partie commerciale de l'affaire, tandis que Robert restait sur les terres, améliorant et étendant les plants.

Cependant je cherchais des yeux, inquiètement, ce qui pouvait rappeler le passé. Je reconnaissais bien, parmi le mobilier neuf du salon, quelques meubles de Fongueusemare ; mais ce passé qui frémissait en moi, il semblait que Juliette à présent l'ignorât ou prît à tâche de nous en distraire.

Deux garçons de douze et treize ans jouaient dans l'escalier ;

elle les appela pour me les présenter. Lise, l'aînée de ses enfants, avait accompagné son père à Aigues-Vives. Un autre garçon de dix ans allait rentrer de promenade ; c'est celui dont Juliette m'avait annoncé la naissance prochaine en m'annonçant aussi notre deuil. Cette dernière grossesse ne s'était pas terminée sans peine ; Juliette en était restée longtemps éprouvée ; puis, l'an passé, comme se ravisant, elle avait donné le jour à une petite fille qu'il semblait, à l'entendre parler, qu'elle préférât à ses autres enfants.

— Ma chambre, où elle dort, est à côté, dit-elle ; viens la voir. Et comme je la suivais :— Jérôme, je n'ai pas osé te l'écrire. . . consentirais-tu à être parrain de cette petite ?

— Mais j'accepte volontiers si cela doit t'être agréable, dis-je, un peu surpris, en me penchant vers le berceau. Quel est le nom de ma filleule ?

— Alissa . . . répondit Juliette à voix basse. Elle lui ressemble un peu, ne trouves-tu pas ?

Je serrai la main de Juliette sans répondre. La petite Alissa, que sa mère soulevait, ouvrit les yeux ; je la pris dans mes bras.

— Quel bon père de famille tu ferais ! dit Juliette en essayant de rire. Qu'attends-tu pour te marier ?

— D'avoir oublié bien des choses ; — et je la regardai rougir.

— Que tu espères oublier bientôt ?

— Que je n'espère pas* oublier jamais.

— Viens par ici, dit-elle brusquement, en me précédant dans une pièce plus petite et déjà sombre, dont une porte ouvrait sur sa chambre et l'autre sur le salon. C'est là que je me réfugie quand j'ai un instant ; c'est la pièce la plus tranquille de la maison ; je m'y sens presque à l'abri de la vie.

La fenêtre de ce petit salon n'ouvrait pas, comme celle des autres pièces, sur les bruits de la ville, mais sur une sorte de préau planté d'arbres.

— Asseyons-nous, dit-elle en se laissant tomber dans un fauteuil. — Si je te comprends bien c'est au souvenir d'Alissa que tu prétends rester fidèle.

Je fus un instant sans répondre.

— Peut-être plutôt à l'idée qu'elle se faisait de moi... Non, ne m'en fais pas un mérite. Je crois que je ne puis faire autrement. Si j'épousais une autre femme, je ne pourrais faire que semblant* de l'aimer.

— Ah ! fit-elle, comme indifférente, puis détournant de moi son visage, qu'elle penchait à terre comme pour chercher je ne sais quoi de perdu. — Alors tu crois qu'on peut garder si longtemps dans son cœur un amour sans espoir ?

— Oui, Juliette.

— Et que la vie peut souffler dessus chaque jour sans l'éteindre ? . . .

Le soir montait comme une marée grise, atteignant, noyant chaque objet qui, dans cette ombre, semblait revivre et raconter à mi-voix son passé. Je revoyais la chambre d'Alissa, dont Juliette avait réuni là tous les meubles. A présent elle ramenait vers moi son visage, dont je ne distinguais plus les traits, de sorte que je ne savais pas si ses yeux n'étaient pas fermés. Elle me paraissait très belle. Et tous deux nous restions à présent sans rien dire.

— Allons ! fit-elle enfin ; il faut se réveiller... Je la vis se lever, faire un pas en avant, retomber comme sans force sur une chaise voisine ; elle passa ses mains sur son visage et il me parut qu'elle pleurait...

Une servante entra, qui apportait la lampe.

NOTES

(The figures refer to pages; words and phrases given in exact translation in "Harrap's Shorter French and English Dictionary" are not listed here.)

37. **au Havre :** Le Havre, an important town and port at the mouth of the Seine, in Normandy ; much of what is represented in *La Porte étroite* as having taken place at Le Havre is transposed from Gide's own boyhood experiences at Rouen, the chief city of Normandy, on the Seine between Le Havre and Paris.
du Luxembourg : the seventeenth-century Palais du Luxembourg in Paris, on the left bank of the Seine not far from the Latin quarter ; under the Third and Fourth Republics it has been occupied by the upper house of the French legislature. The gardens form an attractive and much-frequented public park.

38. **Fongueusemare :** the Bucolins' residence at Fongueusemare is readily identifiable with the Gide's country house at Cuverville-en-Caux, near Le Havre. Even the name is not invented, Fongueusemare being in reality a small village near Cuverville.
se dégingande : ' becomes distorted.'
bois-taillis : ' copse.'
par-dessus . . . plateau : this rather artificial inversion is characteristic of the somewhat langorous and complacent style of much of Jérôme's narrative, and other examples will readily be found, particularly in the more poetic passages. Gide had not far to look for the essentials of this style, for his own first work *Les Cahiers d'André Walter* is full of similar devices, which he later found intolerable. In *La Porte étroite*, of course, such preciosities of style, appropriate to Jérôme's character which they help to reveal, are part of a wider stylistic achievement and cannot be judged in

the same way as those of *André Walter*. This particular inversion produces an alexandrine—the classic twelve-syllable line of French poetry—the introduction of which into prose is generally recognised as a stylistic fault.

39. **se dorait :** 'was turning golden.'
nous étions encore à lire : 'we were still reading.'
prétends : in the archaic sense of 'intend,' 'propose.' Archaism, often indicative of a certain literary affectation, is another feature of Jérôme's style of which further examples will not be hard to find. It is also a fairly recurrent feature of the style Gide uses on his own account in the *Journal* and elsewhere; but in such cases it will generally be found to enrich the sense in some way.
deuil : 'bereavement, loss'; the word appears several times in this sense.

40. **que je lui ai toujours connus :** 'in which I had always known her.'
l'eût prise : this alternative form of the past conditional (*l'aurait prise*) is often used in literary style, especially when there is an implied supposition.
collier : 'neck-ribbon.'

41. **bientôt après quittant :** not, of course, 'soon after leaving,' which would be *bientôt après avoir quitté*, but 'leaving . . . soon afterwards.'
la Martinique : an old French possession in the West Indies.
était fixée : 'was settled,' 'lived.'

42. **appui :** 'back, arm.'
à : *s'approcher* is usually followed by *de*; *à*, here, perhaps on the analogy of (*ne pas*) *toucher à*, suggests the sense 'did not come near,' 'kept away from.'
Chopin : Frédéric-François Chopin (1810-49), the famous composer. He was of French descent and lived most of his life in France, but was Polish by birth. Gide regarded him as a classical composer comparable in some ways with Bach; but many of his compositions lend themselves to performance in a dreamy romantic style, and it is this aspect of his work that Gide has in mind here.
s'immobilisait : 'came to rest.'
superposés : 'superimposed' 'overlapping.'

43. **en faisant sauter** : 'undoing.'
citerneau : 'tank.'

44. **c'est de la comédie** : 'it's just a sham,' 'it's just put on.'
de peu : 'by a little.'
requis : 'drawn,' 'attracted.'

45. **du Dante** : Dante Alighieri (1265-1321), the great Italian poet, whose most famous work is the epic entitled *The Divine Comedy*. The names of certain Italian poets and painters usually take the definite article in French (e.g., *l'Arioste*); but *le Dante*, for which there is no authority in Italian, is generally considered incorrect.
Béatrix : Beatrice (Bice Portinari), the lady in honour of whom Dante composed many love-poems (sonnets and *canzoni*), and a longer work, the *Vita Nuova*.
replonge : 'delve.'
raidillon : 'steep short cut.'

47. **jeu de scène** : normally 'piece of stage business'; here, perhaps 'performance.'
éclats de voix : 'sound of voices.'
réfugie : a verb normally used reflexively; here 'give refuge,' *i.e.*, 'I drew her to me.'

48. **" Efforcez-vous . . . étroite "** : St Luke xiii, 24, as indicated in the epigraph of *La Porte étroite*; but apart from this first phrase, the pastor's text is taken from St Matthew vii, 13-14.

49. **verset** : 'verse' (of the Bible), 'text.'
L'esprit perdu : 'bewildered.'
laminoir : 'press.'

50. **l'Apocalypse** : the Book of Revelation; 'white robes' are mentioned in vi, 11, vii, 9, and vii, 13.
sans y changer : i.e., *sans y changer rien.*

51. **je pris conscience de moi-même** : 'I became aware of myself.'
replié : 'withdrawn (into myself).'

52. **perle de grand prix** : St Matthew xiii, 46.
à ne me satisfaire à rien : 'to feel no satisfaction in anything.'

53. **près** : as a preposition, archaic and in any case rare.
dis ? : 'do you think ?' 'tell me.'

54. **de m'en accuser** : 'to confess it.'
Dis : see note to p. 53.

55. **je le veux être** : again archaic ; in modern French, *je veux l'être.*
Oui, de nous réunir : the *oui* is not in answer to Alissa's question ; it simply introduces the interruption *de nous réunir* which depends on *prions.*
" Recherchez . . . justice " : St Matthew vi, 33.
56. **la Vulgate** : the Vulgate, the Latin version of the Bible used in the Roman Catholic Church.
savante : ' subtle.'
avait pu s'inquiéter : ' may have been anxious.'
58. **y apportait d'obstacles** : ' put (any) obstacles in the way.'
59. **libre à toi** : ' it's your affair,' ' it's up to you.'
je te parle sans malice : ' I don't mean anything.'
tu ne peux pas . . . décemment : ' it wouldn't be proper for you to . . .'
pourrait être mal vue : ' might not be considered the thing.'
60. **enfin** : ' anyhow,' ' at any rate.'
gênés : two lines above, ' embarrassed ' ; here the sense is more nearly ' inconvenienced.'
61. **se recueillir** : ' settle down.'
apparence : ' image.'
Goethe : the great German poet (1749-1832), whose most famous work is *Faust.*
Mme de Stein : Charlotte von Stein (1742-1827), the most important figure in Goethe's life during his early years at Weimar (1775-86).
estimant au plus haut : ' rating highest.'
Il n'y a pas . . . se gâter : ' There is no quality in youth, however pleasing, which may not deteriorate as one grows older.'
prime-saut : ' spontaneity.'
je la retrouve : ' I see (catch) her likeness.'
éclats : here ' tones.'
geste : ' mannerism,' ' trick.'
62. **veillées** : *veilles* would be more usual ; the sense is that Alissa regularly stayed up late.
63. **si fort** : depends on *épouser* ; perhaps ' so completely,' ' so unshakeably.'
où la vue plus inespérément s'étendait : another of

Jérôme's poetic inversions, and somewhat obscure in sense. *Inespérément* should mean 'contrary to all hope,' 'unexpectedly'; but it is conceivable that the sense intended is 'devoid of hope.'

Baudelaire: Charles Baudelaire (1821-67), one of the greatest French poets, author of *Les Fleurs du Mal.* The quotation which follows is of the opening lines of the poem *Chant d'Automne.*

64. **n'aimer pas**: normally *ne pas aimer.*

Normale: l'École Normale Supérieure, which chiefly prepares candidates for teaching posts in secondary schools and universities; since 1903 it has formed part of the University of Paris.

la crainte de te fixer: 'the fear of settling down'; *cf.* note to p. 41.

que nous sommes . . . l'un à l'autre: 'that we belong to each other and shall go on doing so.'

65. **je suspends . . . après elle**: roughly, 'my whole future is held in abeyance waiting for her.'

66. **lever l'ancre**: a discreet but richly evocative allusion to Baudelaire's poem *Le Voyage*, in which the phrase "levons l'ancre," occurring in a particularly memorable context, links the theme of exotic adventure with that of death. The poem is worth turning up, for the allusion will have a different quality for each of the three characters, and should have a more comprehensive significance for the reader. Note the reference to Baudelaire at the beginning of this conversation.

67. **ce que j'en avais pu dire**: 'what I might have said about it.'

68. **à**: *s'efforcer* is normally followed by *de*; the construction with *à* emphasizes the difficulty of the attempt.

70. **licence**: a first degree corresponding roughly to the B.A.

rhétorique: the most advanced secondary school class, which prepares for entry to the École Normale Supérieure; now known as *première supérieure.*

service: *i.e.*, military service.

l'École Normale: see note to p. 64, *Normale.*

au Luxembourg: i.e., *le jardin du Luxembourg*; *cf.* note to p. 37.

su poser mon dernier mot : 'been able to settle, clinch, the matter.'

71. **tu n'as pas dû tout me raconter** : 'you can't have told me everything.'

en poussant : = *comme je poussais* ; the subject is understood from the preceding *me*.

72. **Nîmes** : in the province of Languedoc, in the South of France.

dans le monde : *i.e.*, at social gatherings.

Don Quichotte : Don Quixote, the hero of Cervantes' famous novel ; he is a person of extravagant imagination who represents the ideals of chivalry pushed to the point of absurdity.

un négociant : 'a trader,' 'a man in business.'

73. **" prendre rang "** : *i.e.*, to establish himself as the recognized suitor.

j'aurais . . . d'écrire : 'I should have found it easier to write.'

74. **ne tiédissait plus qu'à peine** : 'did no more than just warm.'

zélandaise : 'of Zeeland' (in Holland).

aiguillon : 'sting,' 'sharpness.'

75. **arrière-son :** 'note,' 'touch.'

habitude : 'way of life.'

craindre : *i.e.*, for Jérôme's sake.

pour m'apparaître : = *pour qu'il m'apparaisse.*

76. **se résorbait :** 'was absorbed,' 'melted.'

Swinburne : Algernon Charles Swinburne (1837-1909), the English poet ; *The Triumph of Time* is perhaps the best of his love-poems.

prise : in the sense of 'engaged' ; 'I'm settled for life.'

J'aime . . . Juliette : a parody of Néron's line in Racine's tragedy *Britannicus* :

J'aime, que dis-je, aimer ? j'idolâtre Junie.

77. **suffoqué :** 'astounded.'

appoint : 'addition,' 'admixture.'

littérature : 'literary pose,' 'affectation.'

brûler : 'to miss out,' 'to skip.'

l'histoire : *i.e.*, Abel's love-affair.

Le meilleur moment . . . je t'aime : the opening lines of a short lyric by the well-known poet Sully-Prudhomme (1839-1908).

qu'il n'y en a que pour Alissa : 'that Alissa is the only one that counts.'

Canzone : see note to p. 45, *Béatrix.*

Amor que nella mente mi ragiona : 'Love which discourses in my mind.'

la lui avais fait connaître : 'had introduced her to it.'

confits : 'steeped,' 'wrapped up.'

mes amours : 'my love-affairs'; the plural puts the final touch to Abel's romantic enthusiasm.

79. **partions :** this and the imperfects which follow are examples of the *style indirect libre,* first regularly used in French literature by the novelist Gustave Flaubert (1821-80); by dispensing with a main verb and subordinating conjunction (*e.g., nous rêvions que*), the author achieves (among other things) a considerable gain in economy and vividness.

nous lancions : reflexive; the subject *nous* is understood.

le professorat : 'the teaching profession.'

80. **indications :** 'notes.'

soumettant : 'subordinating.'

que moi-même y cherchais : a rather artificial substitute for *que j'y cherchais moi-même.*

entraînement : 'enthusiasm,' 'inclination.'

installation : 'accommodation.'

sans plus de précautions : 'without further ado.'

81. **chercher pour :** not, of course, 'to look for,' which would be simply *chercher*; 'to look round (for a suitor) for them.'

pertinent : 'knowing.'

82. **pris de front :** 'faced directly.'

confusément : 'in confusion,' 'with embarrassment.'

avec un ton : more usually *d'un ton* or *sur un ton.*

83. **de m'être laissé aller à ma faiblesse :** 'to have given way to my emotion.'

portes vitrées : 'glass doors.'

toilette : 'dressing.'

84. **friandises :** 'sweets.'

ce matin : a slip for *hier*?

je n'y ai pas été par quatre chemins : 'I didn't beat about the bush.'

85. **Euphorion :** a character in the Second Part of Goethe's *Faust*, son of Faust and Helen ; he represents the spirit of youth and poetry, and leaps lightly about the stage.
montagnes : probably a reference to Isaiah lv, 12.

86. **ancienne :** before the noun, *ancien* usually means 'former' ; here, placed before the noun for reasons of euphony, the word means 'old.'
pour attirer : 'to draw closer.'
porte vitrée : see note to p. 83.

87. **de ton côté :** 'on your own,' 'by yourself.'
toute : a pronoun here.
chancelait : 'was whirling.'

88. **la bonne parole :** 'preaching.'

89. **m'attirant :** 'drawing me.'
éclats de voix impétueux : 'bursts of heated conversation.'

91. **Elle ne veut pas rester au-dessous de sa soeur :** 'she doesn't want to be outdone by her sister.'

92. **reposer :** the verb is *se reposer*, the reflexive pronoun being dropped after *laisser*.

93. **libre à :** '(it was) open to.'
il m'en coûtait : 'I found it hard.'

94. **je . . . m'ingéniais :** 'I . . . did my best.'

95. **au :** *sur*, or *quant à*, is more usual after *se méprendre*.

96. **l'épreuve qui vient de secouer Juliette :** 'the ordeal Juliette has just gone through.'
" Malheur . . . l'homme " : Jeremiah xvii, 5.
gerbe : 'bunch.'
d'une paraphrase de Corneille : not 'from a paraphrase of Corneille,' but 'from a paraphrase of Corneille's.' Pierre Corneille (1606-84), the great French tragedian, published in addition to his tragedies a number of religious works including a paraphrase in verse of the *Imitation of Jesus Christ* mentioned on p. 152.
Quel charme . . . appui : as Abel remarks later on these lines were not written by Corneille, but by Jean Racine (1639-99), the greatest of the French tragedians, whose works also include a number of religious poems. The lines quoted open the fourth of Racine's *Cantiques spirituels*.
verset : 'text,' 'lines.'
qui me valait son silence : 'to which I owed her silence.'

97. **vers qui . . . me repenchaient**: 'towards whom . . . I was drawn (by).'
crédit que j'attachais à son conseil: 'faith that I had in his advice.'
que j'avais su garder par devers moi: 'that I had managed to keep to myself.'
le papillon qu'il faut: 'just the right kind of moth.'
Plains-toi donc: ironic; 'a lot you have to complain about.'
ta pensée: 'the thought of you.'
s'adresse à: 'writes to.'

98. **accident**: 'misfortune.'
Travaille sur la fibre fraternelle: 'harp on the fraternal string.'

99. **du IVe Cantique spirituel**: by Racine; see note to p. 96.
faire connaître: see note to p. 77.
devant: in modern French, *avant*.

100. ***eau vive***: 'spring water,' 'spring.'
Mme de Maintenon: la marquise de Maintenon (1635-1719), who exerted a strong influence on Louis XIV and became his wife by secret marriage in 1684.
Mlle d'Aumale: a young lady of the aristocracy.
parut dans l'admiration: 'seemed struck with admiration.'
jeta: 'shed.'
Bayonne, Biarritz: resorts in the extreme south-west of France.
Fontarabie: Fontarabia (in Spanish, Fuenterrabia), a small Spanish town near the Western end of the French frontier.
Burgos: city of Northern Spain, famous for its Gothic cathedral.
Monserrat: mountain range in Catalonia, North-eastern Spain, where there is a well-known monastery of the same name; also spelt Montserrat.
Barcelone: Barcelona, coastal city of North-Eastern Spain, the capital of Catalonia.

101. **il m'en coûte**: see note to p. 93.
embaumé: 'fragrant.'
entraînement: see note to p. 80.

102. **instruire**: evidently used in a sense akin to that of the Latin original *instruere*, 'to furnish,' 'to equip.'

Orvieto, Pérouse (= Perugia), **Assise** (= Assisi): town of historic interest in Central Italy.
d'Ombrie: *l'Ombrie* (= Umbria) is the province of Centra Italy in which are situated the towns mentioned in th preceding note.
neuf: 'newly-awakened.'
Cortone: Cortona, a town in Eastern Tuscany, not fa from Perugia.
Franciscain: 'Franciscan,' 'grey friar.'
saint François: Saint Francis of Assisi.

103. **Pise:** Pisa, an Italian city, famous for its leaning tower in the province of Tuscany.
"e non altro": 'and nothing else.'
inexprimable: italicized to bring out the double sense of 'indescribable' and 'to which no adequate expression can be given.' It will be noticed that the use of italics for this purpose—italics being the equivalent in print of underlining in writing—is a favourite device of Alissa's, as indeed it was of Gide himself.
que je tourne à l'ignorantine: the name *ignorantin* (Eng Ignorantine') was originally assumed out of humility by *les frères de St Jean-de-Dieu*, an order of Friars founded in 1485, who devoted themselves particularly to the instruction of the poor; it was later applied disparagingly to the Brethren of the Christian Schools (*les frères des écoles chrétiennes*), an order which still flourishes in many parts of the world. The sense here is thus roughly 'religious ignoramus.'
Malebranche: an important French Christian philosopher (1638-1715).
Leibnitz: a German philosopher (1646-1716), famous for his account of the creation as a natural harmony in which all is necessarily for the best; Samuel Clarke (1675-1729) was an English philosopher who had attempted to refute aspects of Leibnitz' system.
les Cenci: *The Cenci*, Shelley's five-act tragedy in verse.
La Sensitive: probably Shelley's poem *The Sensitive Plant.*
Hugo: Victor Hugo (1802-85), the great French Romantic poet, a very prolific writer; Baudelaire (see note to p. 63) wrote comparatively little.

104\. **je saurais :** 'even if I knew.'

viens : strict sequence of tenses would have required *venais ; viens* brings out the immediacy of the idea in Alissa's mind.

Nancy : chief city of Lorraine in Eastern France. Gide, in November 1892, had also been posted to Nancy before being discharged as medically unfit for military service.

Ronsard : Pierre de Ronsard (1524-85), the greatest poet of the French Renaissance and leader of the literary school known as the Pléiade.

" ma seule entéléchie " : 'entelechy' is a word used by Aristotle to indicate (roughly) the achievement of some kind of perfection on the plane of earthly existence. As used by Jérôme (or Ronsard, a learned poet who, like others of his time, tended in some of his poems to idealize the lady he loved) the expression means something like 'the only perfection I know.'

105\. **la rue Gambetta :** presumably at Nancy.

cent sous : *i.e.*, five francs, at that time worth a few shillings.

106\. **légèreté :** 'lightness of touch.'

théâtre des Boulevards : *i.e.*, one of the more frivolous Parisian theatres.

pardurable : 'enduring,' 'lasting.'

" Qui vrayement . . . célestielle " : the quotation is in sixteenth-century French : *qui* = *quiconque* ; *ne tient* = *ne tient pas* ; *mesprise* = *méprise* ; *il se monstre* = *montre*.

107\. **douteuse :** archaic : 'anxious.'

délivrance : 'confinement.'

Aigues-Vives : the town near Nîmes where the Teissières family live.

qu'elle ne me jouât la comédie du bonheur : 'that she might be putting on a show of happiness.'

que ce qu'on appelle . . . âme : 'what we call happiness, how intimate a part of the soul it is.'

" garrigue " : the rocky moorland country of some parts of Southern France.

108\. ***formations :*** italicized to bring out, in addition to the sense of 'growth,' 'development,' the idea of 'giving (a permanent) form or shape' which Alissa develops in the next sentence but one.

inappétence: literally 'want of appetite'; here, perhaps, 'lack of desire.'

se fixe-t-elle: '(does) . . . become set.'

qui la tient au courant de: 'which keeps her up to date with.'

109. **du baron de Hübner:** an Austrian traveller (1811-92), author of a book translated into French under the title *Promenade autour du Monde.*

indications: here 'hints,' 'suggestions'; *cf.* note to p. 80.

ce plateau de Malzéville: near Nancy, evidently the scene of the manoeuvres just mentioned.

110. **peu fixé:** 'uncertain.'

la saison est devenue mauvaise: *i.e.*, the summer season has come to an end.

de n'y plus penser: an older and more literary turn than the normal *de ne plus y penser.*

112. **abrutissait:** 'deadened,' 'dulled.'

se déprendre: 'to free, to detach oneself'; the sense is 'made us let go.'

113. **grippé:** 'with a feverish cold.'

que je . . . craindre: archaic word-order; in modern French, *que je n'aurais d'abord pu le craindre.*

en vain les accuserais-je: 'it would be futile for me to blame them,' 'I should be wrong to blame them.'

Quand bien même: 'even if.'

114. **se sont déprises:** see note to p. 112.

115. **Mon ami, quel triste revoir . . . se rapprocher:** it is interesting for a study of Gide's method as a novelist that the greater part of this letter is adapted, with suitable transpositions, from a letter written to Gide by his cousin Madeleine in December 1894. Those who wish to make a detailed comparison will find the original letter quoted on pp. 102-3 of Jean Schlumberger's book *Madeleine et André Gide* (Gallimard, 1956). This book is interesting too for the numerous extracts quoted (in Chapter IV) from the diary kept by Madeleine Rondeaux in the years 1891-2; some of these show a close affinity of thought and psychology with passages in Alissa's *Journal.*

116. **nous faire crédit d':** literally 'to trust us with'; perhaps

simply 'to grant,' with an implied idea of giving the benefit of the doubt.

117. **comparses :** 'minor characters.'
sitôt . . . partie : 'as soon as my letter had gone.'
entre deux trains : *i.e.*, taking the next train back.
la funèbre cérémonie : normally *la cérémonie funèbre*, 'the funeral ceremony'; *funèbre* before the noun usually means 'funereal,' and Jérôme's word-order, if more evocative, seems rather artificial.

118. **weigelias :** 'weigelias'; the weigelia, like the others in this list, is a spring-flowering shrub commonly grown in temperate climates.

119. **fatal :** 'fateful.'
végétation : 'growth.'

120. **élèves :** 'nurslings.'
reprîmes l'habitude l'un de l'autre : 'became accustomed to one another again.'
accoutumance : 'process of familarization'; here, perhaps 'renewal of familiarity.'
en confiance : perhaps best rendered by 'trustingly.'

121. **épigraphe :** 'epigraph,' 'motto.'
That strain again . . . before : from the opening speech, by Duke Orsino, of Shakespeare's *Twelfth Night.*

122. **Dieu nous garde :** 'God forbid.'
tout le pur de : 'all that is pure in.'
le Soir des Rois : 'Twelfth Night.'
Hic incipit amor Dei : 'Here begins the love of God.'
j'imaginais mal : 'I little imagined.'
cime : *i.e.*, a height on which there was only room for one; a variation of the image of the strait gate.

123. **s'y suspendent :** 'depend on it.'
sans quoi : 'otherwise.'
m'amusent : 'interest me.'
amènerais-je à comprendre : 'should I make clear.'
je m'expliquai : "I understood.'

124. **je m'affectai davantage de :** 'I was more concerned about.'
à regarnir : 'being done up.'

125. **tisane :** 'herb tea.'
elle puisait : 'she was dipping.'

dépoétisation : *i.e.*, the fact that all the poetry and charm had gone from her face.

126. **quoi :** substituted for *lesquels* on account of the vagueness of the antecedent.

j'en étais encore à : " I was still at the stage of.'

Masaccio : a famous Florentine painter (1401-?28).

127. **je me suis fait l'effet de :** ' I felt like.'

celui dont parle l'Écriture : St Matthew vi, 27 ; St Luke xii, 25.

Pascal : Blaise Pascal (1623-62), the great French mathematician and religious philosopher, whose posthumous book of *Pensées* is one of the masterpieces of French prose.

128. **dans la balance :** a reference to Pascal's famous *pari* or wager. Pascal argued that, although we may not know whether the Christian idea of Heaven is true, it is only sensible to renounce earthly pleasures, which are finite in intensity and duration, so as to have the chance of winning infinite bliss after death. Provided there is any chance at all of winning, any finite stake to gain an infinite return represents a sound gamble. This idea of Pascal's has often been criticised as ignoble, as it is here, from a rather special point of view, by Alissa ; but it must be remembered that Pascal was particularly trying to convert members of the fashionable society of the time, to whom gambling was almost second nature.

jansénisme : the Jansenist sect, to which Pascal belonged, believed, at any rate up to a point, that human souls are predestined either to salvation or to damnation. The implication of Alissa's remark is that the sense of doubt which sometimes emerges from Pascal's writings is not doubt about the existence of Heaven (*scepticisme*), but uncertainty as to who are the elect.

qu'avais-je affaire de cela ? : ' what did such things matter to me ? '

quiétistes : the Quietist doctrine, first elaborated by the Spanish priest Molinos in the second half of the seventeenth century, favoured withdrawal from the preoccupations of the world and held that Christian perfection consisted simply in the contemplation and love of God. In a letter to Gide, Paul Claudel condemned as a ' vieux blasphème quiétiste' Alissa's view that piety should be disinterested.

129. **"Qui veut . . . la perdra":** St Luke xvii, 33; one of Gide's favourite quotations.
Je prenais rang: *i.e.*, Jérôme had to take his allotted place among Alissa's preoccupations.
toujours renaissants: 'ever-recurring.'

130. **m'en avertissait davantage:** 'made me more conscious of it.'
amusement: 'pleasure,' 'interest.'
fuite: 'passing' (of time).

131. **rien:** 'anything.'
la pouvait remplacer: normally, in modern French, *pouvait la remplacer.*

132. **dépoétisation:** see note to p. 125.
pour: depends on *cet effort.*
que signifiait . . . l'obstination: 'what was the point . . . of persisting.'

133. **par un acheminement naturel:** *i.e.*, instinctively.
Je savais y trouver Alissa: 'I knew I should find Alissa there.'
bas-côtés: *le bas-côté* is strictly the 'side-aisle' of a church; here used to indicate the corresponding paths in the garden.
d'où le regard . . . jardin: 'which overlooked the garden.'

135. **dorée:** 'golden.'

136. **papier fin:** 'tissue paper.'
absolument: 'at all costs.'

137. **verset:** see note to p. 49.
«Ils n'ont pas . . . meilleur»: Hebrews xi, 39-40.

138. **je reviens en arrière:** 'I go back over the past.'
jusqu'alors: one might have expected *jusqu'ici*; but Jérôme is thinking more of the events than of the narrative.

139. **ferai connaître:** see note to p. 77.

143. **amusement:** 'interest.'
se vallonner: 'to undulate'; here, 'undulating.'
peuple: 'tribe' (of animals).
garrigue: see note to p. 107.

144. **la villa Borghèse ou Doria-Pamphili:** famous houses near the gates of Rome, named after the families to which they belonged; the villa Borghese dates from the seventeenth century.
d'expression si différente: 'speaking so different a language.'

mythologique : ' mythological ' in that the mysterio glade evokes in Alissa reminiscences of classical and oth mythology ; but the underlying idea would be better render by ' pagan.' It will be noticed that the two provinc which figure in *La Porte étroite*—Normandy and t Languedoc—are precisely those which went to make u Gide's own family background, and the contrast Aliss notes here certainly reflects Gide's own experience.

hic nemus : ' here is the grove.' The noun *nemus* wa used especially of the grove at Aricia sacred to Diana, godde of the moon and of hunting, and inhabited by the nymp Egeria, one of the *camenae* (songstresses).

Orphée : Orpheus, the most famous musician of classic mythology.

Armide : Armida, who figures in Tasso's epic poe *Gerusalemme liberata*, famous for the power of fascinatio she exercised over men ; the reference is doubtless to th gardens of the palace where she kept her lover in thrall.

aux Baux : les Baux, an ancient town, now only a villag with imposing ruins, not very far from Aigues-Vives wher Alissa is staying. The word *bauxite* is derived from th name of this town, for it was here that the first bauxit deposits were found.

dont je me disais fière : ' on which I prided myself.'

145. **coquetterie :** ' vanity.'

***décompliquer* :** probably an invented word ; the sense i clear from Alissa's next paragraph.

146. **acheminement :** ' progress.'

147. **en rien :** ' in any way.'

confusion : ' fusion.'

progressive : italicized to bring out the double sense o ' progress ' and ' movement forward.'

149. **tendu à :** ' striven after.'

150. **La Bruyère :** Jean de la Bruyère (1645-96), author of a famous volume of *Caractères* in which he portrays an satirises many aspects of life in seventeenth-century France.

" Dieu . . . meilleur " : see note to p. 137.

151. **qu'il se propose :** ' and that it offers itself,' *i.e.*, ' is ther for the taking.' Alissa does not complete her sentence the sense (roughly) is ' To think that happiness is here . . .'

152. **là :** *i.e.*, as a writer.
l'Imitation : *l'Imitation de Jésus-Christ*, a famous religious work of the fifteenth century, attributed to Thomas à Kempis ; the original text is in Latin.
verset : see note to p. 49.
" Vends . . . pauvres " : St Luke xviii, 22.

153. **payenne :** normally *païen, païenne* ; 'pagan.'
trop vaine de comprendre : not, of course, 'too vain to understand,' which would be *trop vaine pour comprendre*. The idea is that the ability to understand the Latin text ministers too much to Alissa's vanity.
appropriée : 'adapted (to the needs of).'
" Oh ! si tu savais . . . plus de soin " : a quotation from the *Imitation de Jésus-Christ* (see note to p. 152), Book I, ch. xi.
surhumaine : 'heavenly.'
Plus que deux mois : not 'more than two months,' which would be *plus de deux mois*, but 'only two months more.'
à ma tristesse : there is a double sense here (hence the italics) : (1) I can tell by my sadness ; (2) I feel it to my sorrow.
faisait connaître : see note to p. 77.

154. **" Regardez les lys des champs " :** St Matthew vi, 28.
vaincre : 'to win through.'

155. **" Entrez dans mon cœur . . . Passion " :** a quotation from Pascal's *Prière pour demander à Dieu le bon usage des Maladies*.
Mlle de Roannez : sister of the duc de Roannez, a friend of Pascal's ; in 1656 he wrote her a series of letters of spiritual guidance which helped her to decide to enter the convent of Port-Royal as a nun. The *Lettres à Mlle de Roannez* do not in fact form part of Pascal's *Pensées*, but extracts from them are included in Brunschvicg's edition, which was the one Gide himself used when writing *La Porte étroite*.

156. **" Tout ce que . . . nom " :** St John xv, 16.

158. **vantaux :** *un vantail* is the 'leaf' of a double door ; 'gateway,' 'portals.'
mentais . . . aux paroles : 'belied . . . the words.'
" A présent levez-vous. Voici l'heure " : St Matthew xxvi, 45-46.

160. **Clothilde de Vaux :** Clothilde de Vaux (1815-46), a sensitive and intelligent woman whose husband had abandoned her a few years after her marriage in 1835, was the object of a romantic passion on the part of Auguste Comte (1798-1857), the famous French philosopher, but was unable to return his love. She died of consumption. The quotation comes from a story in letter-form which she published under the title *Lucie* in 1845.
surprenne : 'find.'
" Mon Dieu . . . atteindre " : Psalms lxi, 2.

161. **" Joie, joie, joie, pleurs de joie " :** a quotation from a short document in which Pascal recorded a kind of religious ecstasy he had experienced in 1654, and which, at his death in 1662, was found sewn into the lining of his doublet.
qu'il a nom : 'that it is called.'
" Heureux . . . Seigneur " : Revelation xiv, 13.
chancelle : 'wavers.'
de l'avoir : not 'to have it,' which would be *à l'avoir*, but 'that I have (enjoy, possess) it (already).'
par devant : archaic, 'before' (in time).
l'éclaircissement : combines the normal sense of 'elucidation,' 'explanation,' with the etymological one of 'illumination'; illumination with the cold light of day.

163. **installation :** see note to p. 80.
relations : 'acquaintances.'

164. **pas :** unusual with *jamais*; the effect is to separate *jamais* from the rest of the sentence, giving it more force and pointing the opposition to the preceding *bientôt*.

165. **je ne pourrais faire que semblant :** usually *ne faire que* introducing a verbal idea is followed by an infinitive, but *ne faire que faire semblant* would obviously have been very clumsy; 'I could only pretend.'